"하나님은 정말 사랑이십니다"

이재철 목사

친구가 되어 주실래요?

친구가 되어 주실래요?

감동 휴먼 다큐 '울지마 톤즈'의 주인공
이태석 신부의 아프리카 이야기

이태석

여기 수단은 한국에선 볼 수 없는
정말 아름다운 것 두 가지가 있는데,
그중의 하나는
너무도 많아 금방 쏟아져 내릴 것 같은
밤하늘의 무수한 별들이고
다른 하나는 손만 대면 금방 톡 하고 터질 것 같은
투명하고 순수한 이곳 아이들의 눈망울이다.
아이들의 눈망울을 보고 있으면
너무 커서 왠지 슬퍼지기도 하지만
너무 아름다운 것을 볼 때
흘러나오는 감탄사 같은 것이
마음속에서 연발됨을 느낄 수가 있다.

– 본문에서

contents

가슴속 추억을 나누다

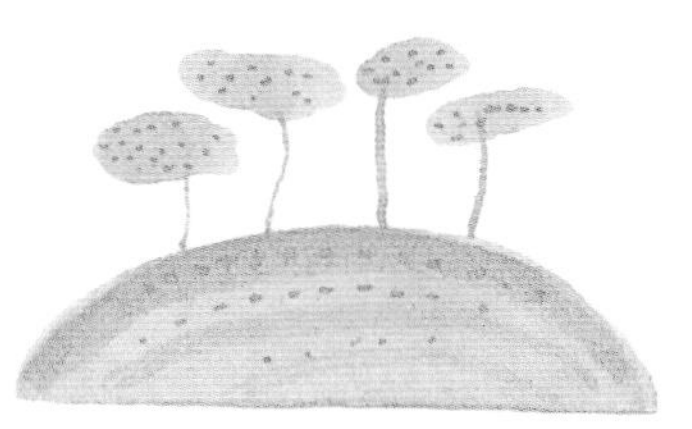

책 머리에 ...

8년 전 경비행기를 타고 수단의 톤즈에 도착해 짐을 막 풀었을 때가 생각납니다. 막상 믿음의 용기로 도착하긴 했지만, 섭씨 45도를 넘나드는 뜨거운 기후, 채소와 기본적으로 필요한 식료품들이 많이 부족한 열악한 환경, 피부 색깔만 다른 것이 아닌 문화와 사고방식의 차이들, 이 모든 것들을 생각하니 어디서부터 어떤 일을 시작해야 할지 한없이 막막하기만 했습니다.

처음엔 지천으로 깔린 환자들을 위해서 병원을 짓기 시작했습니다. 열두 칸 방이 있는 작은 보건소 수준의 병원이지만 모든 건축 자재를 톤즈에서는 구할 수가 없어 심지어 못 하나까지 인근 국가인 케냐의 나이로비에서 조달해야 했던 어려움에도 불구하고 1년 만에 공사를 끝낼 수 있었던 것은 분명히 불쌍하고 가난한 병자들을 끔찍이 사랑하시는 하느님의 은총이었음을 느낄 수 있었습니다.

병원 공사를 시작할 즈음에 마을을 둘러보니, 환자들을 돌보는 것도 시급한 일이었지만 학교가 없어 하루 종일 빈둥거리며 거리를 헤매는 젊은이들을 위한 교육 사업도 시급한 일이라는 생각이 들었습니다. 그래서 전쟁으로 폐허가 된 학교 건물에 다시 벽을 쌓고 지붕을 얹고 창문을 만들고 문을 다니 비가 와도 쓸 수 있는 깔끔한 교실이 되었습니다. 교실에서 처음 수업하는 아이들을 보면서 형언할 수 없는 기쁨에 눈물이 절로 나왔으며 젊은이들 특히 가난한 젊은이들을 더욱 사랑하시는 하느님께 또다시 감사했습니다.

그리고 아이들에게 음악을 가르치기 시작했습니다. 음악은 전쟁과 가난으로 생긴 아이들의 상처를 어루만지고 치료할 수 있는 좋은 수단이라는 생각이 들었습니다. 기타와 오르간으로 시작된 음악반이 4년 뒤엔 트럼펫, 클라리넷, 트롬본, 튜바 등의 악기로 구성된 서른다섯 명의 브라스밴드부로 성장했습니다. 음악을 너무나도 쉽게 배우고 연주하는 아이들을 보며 아이들의 피에 음악이 흐르고 있다는 생각이 들었습니다. 그것은 보잘것없는 이 아이들에게 미리 탈렌트의 싹을 심어 놓으신 하느님 사랑의 흔적이었습니다. 이러한 하느님의 은총에 또다시 감사하지 않을 수 없었습니다.

지난 8년 세월을 뒤돌아보니 여러 고비와 어려움이 많았지만, 그 세월 곳곳에서 하느님이 항상 함께하셨고 필요한 은총들을 베풀어 주셨음을 느낄 수 있었습니다.

이 책에는 아프리카 수단의 남쪽 지역에 있는 찢어지게 가난한 마을, '톤즈'에서 일어난 이야기들이 실려 있습니다. 하지만 책을 읽으면서 이야기 자체에만 이끌리지 말고 이야기들 속에 숨겨진 세상에서 가장 가난한 사람들에 대한 하느님의 사랑과 은총의 역동적인 역사하심을 느껴 보시기 바랍니다. 그렇게 읽어 가면 이 이야기들은 단순히 톤즈의 이야기가 아니라 여러분 자신의 이야기, 은총 가득한 여러분의 이야기가 될 수도 있을 것입니다.

마지막으로 하느님 섭리의 참된 도구로서 저희를 물심양면으로 도와주신 많은 분들에게 심심한 감사의 뜻을 전하고 싶습니다. 그분들이 없었다면 하느님 은총의 역사도 없었을 것입니다.

이 책을 전쟁과 가난으로 인해 많은 어려움을 겪는 남부 수단의 모든 분들께 바칩니다.

2009년 성모성월에

이태석 신부

성탄절에 태어난 임마누엘

좀 지난 얘기지만, 8년 전 이곳 톤즈에 와서 처음으로 맞이했던 성탄절을 기억해 본다. 캐럴도, 크리스마스트리나 구유 장식도, 선물 교환도 없이 사순절 같은 조용한 크리스마스였지만 내 인생에 있어서 예수님 탄생의 의미를 어느 해보다 깊이 느낄 수 있었던 은혜로운 성탄절이었다.

성탄절이 되기 3-4주 전부터 이곳 사람들은 그날 입을 깨끗한 옷 한 벌을 구하려고 엄청난 노력을 한다. 고작 한두 벌 정도의 옷을 가지고 있는 이곳 사람들이기에 그런 것일까? 새 옷을 사기 위해 100킬로미터 정도 떨어진 '와우' 라는 마을까지 일주일 동안 걸어서 다녀올 수 있는 사람들은 그래도 조금 여유가 있는 사람들이다. 많은 노력에도 불구하고 성탄 전야인 24일까지도 옷을 구하지 못하는 사람들이 태반이다. 그러나 이 사람들에게도 마지막 희망은 있는데, 그것은 다름 아닌 수도원이다. 성탄절 이틀 전부터 수도원은 아침부터 새 옷을 얻으려는 사람들로 장사진을 이룬다.

외국에서 들어온 구호 물자로 쾨쾨한 냄새가 나는 헌 옷이지만 그들에게는 아기 예수님을 기쁘게 맞이하고 즐거운 성탄절을 보내기 위해 꼭 필요하고 소중한 새 옷이다. 기백만 원 하는 어떤 유명 브랜드의 옷들이 사람들에게 이렇게 순수한 기쁨을 줄 수 있을까? 그렇지 않아도 큰 눈을 더욱 크게 뜨고 마음에 드는 색깔과 무늬의 옷을 들고 몸에 대어 보고 재어 보고 돌려 보고 입어 보며 기뻐하는 이들의 밝은 얼굴에서 어느새 아기 예수님이 오셨음을 느낄 수가 있다.

기다리고 기다리던 자정 미사. 얼마나 많은 사람들이 왔는지 성당 안에 발 디딜 틈이 없다. 그들은 삶의 예술가들이다. 온 정성을 다해 최대한 꾸며 입고 온 옷들은 더 이상 구호 물자도, 쾨쾨한 냄새가 나는 헌 옷도 아니다. 머리는 어떻게 그리 예술적으로 땋을 수 있는지, 꾸미는 데 반나절 이상 걸림 직한 예쁜 헤어

스타일도 많다.

180센티미터 이상의 늘씬늘씬한 선남선녀들(딩카족은 원래 키가 큰 부족이다)! 머리는 작은데 다리는 왜 그렇게 긴지. 옷 가게도 화장품 가게도 미장원도 없는 곳이지만 파리의 유명한 패션쇼를 방불케 한다.

전기가 없는 곳이기에 소형 자가 발전기를 돌려 형광등을 켰는데 생전 처음 보는 전등 빛이어서인지 미사 중에 형광등만 신기하게 쳐다보는 아이들도 많았다.

그리고 개개인이 들고 온 생전 처음 보는 신기한 악기들은 음악으로 아기 예수님을 찬미하는 데 충분했다. 여러 형태 여러 크기의 북들, 엽전 같은 것을 철사에 엮어 흔들면 찰랑찰랑 소리 나는 악기들, 미국 국기가 그려진 식용유 깡통을 자르고 구부려 아주 얇은 필통처럼 만들고 안에 옥수수 낟알들을 넣어 두 손으로 잡고 춤을 추듯이 흔들면 "싹 사사 싸악" 하고 자연스럽고 경쾌한 리듬을 만들어 내는 강냉이 필통, 고장 난 자전거 페달에서 빼낸 작고 동그란 두 중심축(서로 두드리면 아주 맑고 고운 종소리가 난다), 거기에다 가늘고 높고 까랑까랑한 그네들의 아름다운 목소리들까지 합쳐졌다. 정말 무에서 유를 창조하는 것이고, 하느님께서 그 창조의 주인공이셨음을 분명히 느낄 수 있었다.

미사 내내 주체할 수 없는 감동이 거대한 파도처럼 밀려왔다.

'예수님, 감사합니다! 전쟁의 상처와 아픔이 있는 곳, 처절한 가난이 있는 곳, 세상 어느 누구도 거들떠보지 않는 소외받는 이 곳, 이 누추한 곳까지 찾아오셨네요! 감사합니다.'

미사 중에 감사의 기도가 저절로 끓어 넘쳐흘렀다.

다음 날 아침 성탄 미사는 45킬로미터 떨어진 공소에서 드리게 되었는데 아직 건물이 없어 큰 나무 밑에서 미사를 드리지만 거의 천 명 이상의 많은 신자들이 아침 일찍부터 와 기다리고 있었다. 막 도착했을 땐 그날 그곳에서 엄청난 일이 벌어지리라고 상상도 하지 못했다.

그날, 미사를 드리고 있는데 한쪽 구석에서 여자의 비명이 들리고 "쿵" 하고 넘어지는 소리가 들리면서 그곳으로 사람들이 우르르 몰려들었다. 더 이상 미사를 진행할 수가 없어 중단하고 그곳으로 가 보았다. 비명을 지르며 쓰러진 여자는 다름 아닌 만삭의 임산부였다. 미사 도중이었지만 산고가 너무 심해 흙바닥에 넘어져 있었다. 당황스러웠다. 입던 제의를 벗고 아기를 받을 수도 없고, 어떻게 하나 고민하다가 거기서 아기가 태어나면 안 될 것 같아 일단은 조금 떨어진 다른 나무 밑으로 여인을 옮기고 그

망고나무 아래에서 드리는 성탄 미사.

성탄 미사를 집전하는 이태석 신부.

주위로 열 명의 아주머니들이 둘러싸 인간 커튼을 만들게 한 뒤 계속 미사를 진행했다.

강론 후 한참 세례를 주고 있는데 갑자기 박수 소리가 들리더니 눈앞에 김이 모락모락 나는 아기가 포대기에 싸여 세례를 받기 위해 나타났다. 방금 나무 밑에서 출산한 아기였다. '에구머니나! 성탄절 미사 중에 그것도 성당 안에서 웬 출산이람! 태어난 지 5분도 채 안 됐는데, 식기 전에 세례를?!'

전날 자정 미사 전에 '간단하게라도 구유를 만들어 놓을걸.' 하고 후회했지만 곧 생각이 달라졌다. '마구간보다 더 초라하고 가난한 사람들이 사는 이곳이 바로 예수님이 기뻐하실 구유이거늘 무슨 또 다른 구유가 필요한가?' 라는 생각이 들었던 것이다.

비참하고 가난한 이곳 사람들의 삶 속에 예수님의 구유는 이미 녹아들어 있고, 바로 이곳이 맨 먼저 찾아야 할 참된 구유라는 것을 예수님도 미리 알고 계셨으리라는 생각이 들었다. 그것을 증명이라도 하듯이 미사 중에 나무 밑에서 한 아기를 태어나게 하셨다. 혹시 그 아기가 진짜 예수님일지도 모른다는 생각에 우리는 그 아기의 이름을 '임마누엘' 이라고 지었다.

스스로 선택하시어 가장 가난하고 낮은 이의 모습으로 오신

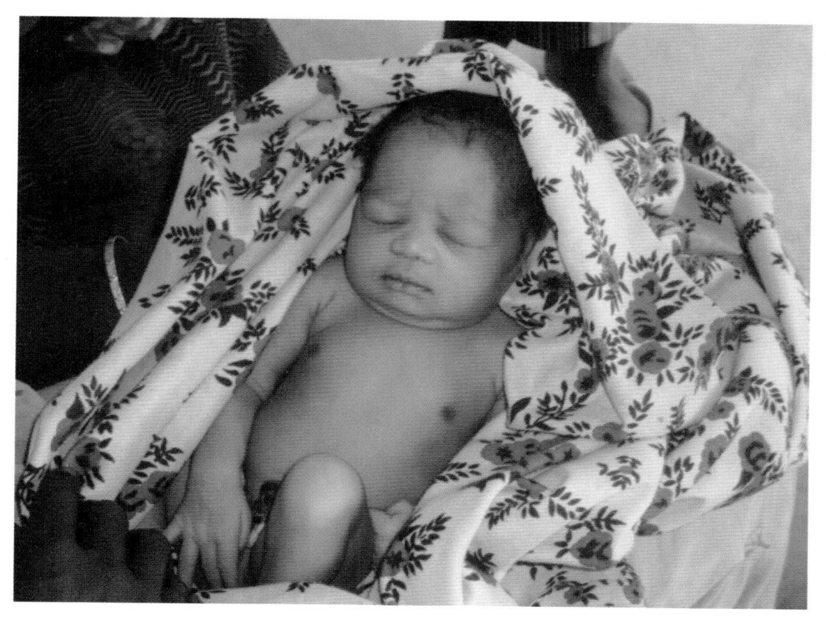

갓 태어난 아기 모습. 흑인일지라도 갓 태어났을 때의 피부색은 까맣지 않다.

예수님, 그런 예수님을 맞이하기 위해 우리가 매년 준비하는 화려하고 비싼 크리스마스 장식과 구유 그리고 꽃꽂이들을 보면서 예수님은 어떻게 생각하실까. 화려하고 값비싼 구유에 편안하게 누워 계실 마음이 생기실까.

교회가 가난한 이웃의 모습으로 숨어 계시는 예수님을 외면한 채, 그분이 누우실 구유에만 관심을 갖는다면 예수님께서는 얼마나 마음이 아프실까.

수십 번 성탄절을 맞이했지만 내 생애에서 가장 의미 있는 성탄절은 이역만리 떨어진 이곳 아프리카에서 맞은 성탄절이었다. 나는 지금도 그날의 성탄절을 기억하며 가난한 곳 어딘가에서 계속 태어나고 계실 예수님을 우리가 몰라보는 일이 없어야 할 것이라는 생각을 한다.

별난 여아 선호 사상

이곳 수단에는 우리의 사고방식으론 도저히 이해할 수 없는 문화들이 꽤 있다. 재미있어 혼자 웃어넘기고 마는 경우도 있지만 알게 모르게 문화 충격을 받을 만큼 아주 특이한 문화들이 꽤 많은 편이다. 그 가운데 하나가 '여아 선호 사상'이다.

문화적으론 미개한 곳이지만 여전히 남성 중심 사회인 우리나라와 달리 여자를 아끼고 중시하는 여인들을 위한 천국이다. 임산부가 사내아이를 출산하면 모두들 시큰둥해하지만 여자 아이를 낳게 되면 정말 큰 경사로 여긴다. 가족은 물론 온 동네가 잔치 분위기다. 칠 공주만 줄줄이 낳아 시집으로부터 평생 구박

생화로 만든
화환을 머리에 쓴 소녀.
이곳 사람들은
특별한 전례가 있을 때마다
이렇게 꽃으로 치장을 한다.

함께 노래하는 여학생 기숙사 아이들.

을 받던 우리나라의 한 맺힌 옛 어머니들, 이곳에 오면 화병도 낫고 귀부인 대접도 받을 수 있을 텐데.

찢어지게 가난하여 벌거벗고 다니는 남자 아이들은 동네에서, 아니 주일 미사가 있는 성당 안에서도 쉽게 찾아볼 수 있지만 여자 아이들은 예쁘고 화려한 옷 아니면, 최소한 깨끗하게 세탁된 옷으로라도 항상 치장이 되어 있다.

고아의 경우도 마찬가지다. 전쟁고아들이 많아 우리가 운영하는 기숙사에도 열댓 명의 남자 고아들이 있지만 여자 고아들은 찾아보기가 어렵다. 부모를 잃어도 사촌이나 팔촌 아니면 사돈의 팔촌에 이르는 먼 친척이라도 여자 아이는 꼭 거둬 키우려 하기 때문이다. 여기서 이렇게 여자들이 특별 우대를 받는 데는 그만한 이유가 있다.

그것은 결혼을 하기 위해 여자를 데리고 오는 데 남자 측에서 여자의 미모와 건강 상태에 따라 적게는 30마리에서 많게는 200마리까지의 소를 건네야 하기 때문이다.

여아 선호 사상, 예쁘게 잘 치장한 여자들의 모습, 여자를 보물처럼 아끼고 잘 키우려는 것 등등 외형적인 것들만 보면 이곳은 분명히 '여자들의 천국' 이다. 하지만 자세한 내막을 알고 나면 이곳은 외려 '남존여비 사상' 이 철저한 곳임을 알게 된다.

여자 아이들을 아름답게 꾸미고 치장하며 될 수 있는 한 잘 먹이고 잘 입히는 것은 받을 '소'의 수를 늘리기 위한 것, 즉 값이 더 많이 나가도록 상품의 질을 높이기 위한 것이지 결코 여자를 한 인간으로서, 남자보다 더 귀중한 존재로 여기기 때문은 아니다. 서글픈 일이지만 이것이 수단의 현실이다. 더욱 서글픈 것은 결혼 때 팔려 온 여인네들은 죽도록 일을 해야 한다는 것이다. 줄줄이 아이들을 낳고 소처럼 일해야 한다. 말 그대로 '소 값'을 해야 하는 것이다.

100마리였든 200마리였든 지불된 '소'가 고스란히 여자의 부모들과 가족들에게 돌아가는 것이지 당사자인 '신부'에겐 무용지물인데도 말이다. 많이 받으면 받을수록 그 값을 육체적 노동으로 갚아야 하니 차라리 적게 받고 보내면 좋으련만 문화가 그것을 허용하지 않는다.

남자의 나이도 여자의 나이도 상관하지 않는다. 여자는 임신이 가능한 사춘기만 지나면 그만이고 남자는 소를 많이 소유하고 있는 한 50대도 좋고 60대도 좋다. 거기에다 일부다처제 문화이기에 부의 정도에 따라 아내를 원하는 만큼 가질 수 있는데 두세 명의 아내를 가진 경우가 대부분이고, 많게는 최고 60명까지 아내를 거느린 유지 아닌 '유지'도 있다. 60대 노인의 첩으로 들어

가기 싫어 사랑하는 젊은 남자와 도망쳐 버리는 10-20대 여성들도 꽤 있다. 심지어는 스스로 목숨을 끊는 안타까운 경우도 있다.

한 번은 트럭 사고로 짐 칸에 타고 있던 많은 사람들이 다쳐 우리가 운영하는 병원으로 수십 명의 부상자들이 실려 온 적이 있었다. 그중에 한 달 정도 된 여아를 한 남자가 안고 있어 "엄마는 어디에 있습니까?" 하고 물으니 사고로 엄마는 즉사하고 아이만 기적적으로 살아남았다고 했다. 여아를 안고 있는 남자가 당연히 아버지려니 생각되어 "아버지 되십니까?"라고 물으니 아버지도 친척도 아니고 이웃에 사는 사람인데 아이가 불쌍해서 자기가 거둬 키우려 한다며 아기의 상태를 걱정하고 있었다. 그리고 그 남자의 다른 손에는 여기선 정말로 귀한 분유 깡통과 젖병이 들려 있었다. 없는 와중에도 가진 것 다 털어 이웃을 살리려는 그를 보며 감동하지 않을 수 없었고 그가 마치 살아 있는 착한 사마리아인처럼 여겨졌다. 하지만 그 감동은 잠시, 옆에 있던 간호사가 "그 아기가 여자이기 때문에 다른 사람들이 손을 대지 못하도록 먼저 선수를 치는 것입니다."라고 귀띔해 주었다.

'어떻게 이런 일이?' 거룩한 복음과 처참한 현실을 왕복 달리기하며 하늘이 무너지는 실망감 속에서 무능하게 현실을 받아들

플루트 연습 중인 고등학교 1학년 여학생. 이 둘은 유독 꾸미기를 좋아한다.

일 수밖에 없었던 것이 당시 내가 할 수 있었던 유일한 일이었다.

아북과 로다라는 두 자매가 있었다. 집안은 몹시 가난했으나 인물과 재주가 남다를 뿐 아니라 머리도 영특하여 항상 많은 사람들로부터 특별한 관심을 받는 아이들이었다. 신심도 깊어 새벽 미사를 하루도 빠짐없이 참석했고 또 음악적인 재주가 뛰어나 특별한 행사 때마다 언니인 로다는 마이크를 잡고 선창을 도맡아 했다. 톤즈에서 중학교를 졸업한 로다가 고등학교 진학을 위해 룸벡이라는 다른 도시로 유학을 떠난 뒤엔 동생 아북이 언니의 자리를 그대로 이어 갔다.

아무리 생각해도 둘은 여기서 아무에게나 시집가 스스로의 삶을 포기하기엔 너무나도 아까운 아이들이었다. 그래서 가끔씩 수도 성소에 대해 이야기를 나누기도 했는데 의외로 관심을 많이 가지고 있었고 자기들 스스로 아버지에게 성소에 대해 이야기를 꺼낸 적도 있다고 했다. 하지만 이들의 문화를 알기에 언제 어떤 일이 벌어질지 몰라 항상 내심 불안해하고 있었다.

그런데 로다가 고등학교 2학년을 마치고 방학을 맞아 톤즈로 돌아오고 아북이 톤즈에서 중학교를 마친 재작년 12월 말, 매일 빠짐없이 새벽 미사를 나오던 두 아이가 일주일째 보이질 않았다. 동네의 다른 아이들에게 물어보았으나 어떤 일이 일어났는지 아무도 몰랐다. 둘이 사라진 지 한 달쯤 지났을 때 아북으로부터 한 통의 편지를 받았다. 눈물로 쓴 긴 사연의 편지였다.

12월 어느 날 아침 아버지가 "수녀님이 되려면 가족들의 동의가 있어야 하니 어른들이 많이 있는 120킬로미터 떨어진 와랍이라는 마을로 함께 가서 상의하자."는 말에 함께 그곳으로 가게 되었단다. 그곳에 도착한 다음 날 아침, 이상할 정도로 많은 사람들이 모이고 부산하게 움직이는가 싶더니 여러 명의 남자들이 갑자기 들이닥쳐 두 자매의 손과 발을 묶어 각각 다른 곳으로 끌고 갔다. 가서 보니 그곳이 바로 결혼식을 준비하는 신랑의 집이었단다. 그렇게 아북과 로다는 팔려 갔다.

이렇게 짧은 이야기가, 몇 년 동안 두 아이가 몰래 키워 온 꿈과 희망이 순식간에 사라진 이야기의 전부다.

믿을 수 없는 일이었고 믿고 싶지도 않았지만 안타깝게도 오늘도 수단 이곳저곳에서 실제로 일어나고 있는 이야기다. 하지만 이곳 사람들을 나무랄 수가 없다. 이곳 사람들이 악해서도 아니고 모자라서도 아니기 때문이다. 이들에겐 수백 년간 이어 온 너무나도 자연스러운 문화의 한 부분일 뿐이기 때문이다. 하지만

'이것이 그들의 문화이기에 받아들일 것은 받아들이면서 다른 방법을 모색해야 한다.'는 식의 사고가 토착화에 대한 올바른 사고는 아니라고 생각한다. 시간이 얼마나 걸릴지 몰라서 대단한 인내심이 필요하겠지만 결국 그리스도교 정신을 이곳의 문화에 뿌리내리게 하는 일이 올바른 토착화라는 것을 잊고 싶지는 않다.

예수님께서 이 시대에 수단에서 태어나셨다면 어떤 기적들을 일으키셨을까, 어떻게 문제를 해결하셨을까, 하는 생각을 자주 해 본다. 하지만 이것이 부질없는 생각이라는 것을 안다. 예수님이 이 시대에 이곳에서 태어나지는 않으셨지만 지금 이 순간에도 이 사람들을 사랑하시어 이곳에 함께 계시며 우리가 보는 모든 것을 함께 바라보고 계신다는 것을 알고 있기 때문이다.

예수님께서 침묵하며 바라만 보고 계시는 데는 반드시 이유가 있을 것이다. 그것이 무엇인지는 확실히 모르지만 예수님 나름대로의 생각과 계획이 분명히 있을 것이다. 단지 우리 선교사들이 그 계획의 조그만 도구가 될 수 있기를 바랄 뿐이다.

끈질긴 인내가 최고의 무기일 듯싶다. 기다려야 한다. 계란으로 바위를 치면서 기다려야 한다. 수천 번 수만 번 치다 보면 바위도 부서지는 날이 오리라 믿으면서…….

풍금 위에 어린 예수님 미소

지금도 그렇지만 어릴 적 무척이나 음악을 좋아했다. 초등학교 시절 목소리가 가늘고 높아 청년 성가대의 소프라노로 활약을 했고 중학교 땐 음악 선생님으로부터 독창과 작곡을 배워 콩쿠르에 나가 여러 번 입상을 하기도 했던 걸 보면 음악적 끼가 어느 정도 있었던 모양이다. 어떤 종류이든 악기만 보면 나의 가슴은 콩닥콩닥 설레기 시작했고 한 고집 했던지라 악기를 처음 대할 땐 식음을 전폐하고 오직 그것 하나만 물고 늘어져 며칠 내에 결판을 내곤 했다.

악기 중에서도 유난히 나를 설레게 한 악기는 피아노다. 피아노의 빠르고 경쾌한 소리는 혀에서 살살 녹는 달콤한 솜사탕 같았고 깊고도 장엄한 베이스 건반 소리는 마치 피아노의 나무망치가 내 영혼 깊은 곳의 베이스 현을 사정없이 두들겨 대는 것 같았다. 피아노를 배우고 싶은 마음이 너무나도 강렬했다. 하지만 피리나 기타 같은 간단한 악기야 꼭 사지 않아도 주위에서 빌리든지 하여 어떻게 해 볼 수 있었지만, 많아야 동네에서 한두 집 정도만 피아노를 가지고 있던 때라 레슨을 받는 것 외에는 피아노를 배울 수 있는 다른 방법이 없었다. 하지만 그 시절엔 피아노 레슨은 부잣집 아이들만이 받을 수 있었던 하나의 특권과도 같은 것이었다. 배우고 싶은 마음이야 강렬했지만 10남매의 학교 공납금을 대기도 빠듯했던 집안 형편을 뻔히 알고 있으면서 부모님을 조를 수는 없었다. 옳게 한 번 떼를 써 보지도 못한 채 피아노에 대한 열정을 스스로 포기하는 데 적지 않은 아픔을 겪어야 했던 기억이 난다.

그런데 다행히 성당에 가면 피아노는 아니지만 풍금은 칠 수 있었다. 성가 책을 교본 삼아 혼자서 레슨 아닌 레슨을 시작했고 몇 달 후엔 어린이 미사 반주를 할 수 있게 되었다. 풍금 연습을 위해 오후 대여섯 시쯤 성당에 가곤 했는데 풍금은 진노랑 오후 햇살이 내려앉는 그런 곳에 놓여 있었고, 묘하게도 제대 위 십자가의 예수님 시선도 풍금이 있는 곳에 닿아 있었다. 풍금을 치면서 내 얼굴을 강하게 비추던 오후 햇살을 자주 의식하곤 했고 때로는 내 얼굴을 비추던 것이 햇살만이 아니라 십자가 위에서 바라보던 예수님의 따스한 시선이기도 했던 기억이 난다. 지금 생각해 보면 그때 성당에서 보냈던 그 시간들이 단순한 풍금 연습 시간이 아니라, 피아노를 짝사랑하며 풍금을 치던 가난한 한 소년을 달래며 지켜봐 주시던 예수님의 인간적인 부성애를 피부로 느낀 소중하고 은혜로운 순간들이었던 것 같다.

어느덧 30여 년이 흘러 지금은 지구의 반대쪽 아프리카 수단이라는 곳에 와 있다. 장기간의 전쟁으로 건물뿐만 아니라 아이들의 마음도 상처받고 부서져 있었다. 음악을 통해 아이들 마음에 기쁨과 희망의 씨앗을 심을 수 있을 것 같아 악기를 가르치기 시작했다.

피리와 기타 그리고 오르간으로 시작했다. '도레미파솔라시도'를 생전 처음 들어 보는 아이들에게 악기를 가르치는 것이 많이 어려우리라 생각했지만 예상외로 속도가 상당히 빨랐다. 몇몇은 피리는 물론이고 기타를 배운 지 하루 이틀 만에 노래를 불러가며 제법 빠르게 쳐 대기 시작했고, 아이삭과 바보야와 같은 천재적 재능을 지닌 아이들은 일주일 만에 오르간을 양손으로 연주하기 시작했다. 어릴 적 처음 악기를 대할 때 콩닥거리던 가슴이 이 아이들을 보면서 다시 콩닥거리기 시작했다. 진흙에서 진주를 찾은 느낌이었고, 초롱초롱한 아이들 눈을 바라보며 '주님, 감사합니다. 당신께서 먼저 이곳에 오셔서 이곳 아이들에게 작은 씨앗들을 미리 뿌려 놓으셨군요. 당신이 뿌린 작은 씨앗들이 싹을 잘 틔울 수 있게 물과 거름을 잘 챙겨 주겠습니다.' 하는 기도가 나도 모르게 나왔다.

은인들의 도움으로 2년 전에 브라스밴드부 악기들을 준비했다. 트럼펫, 트롬본, 클라리넷 등의 악기들로 구성된 35명의 제법 큰 밴드였다. 나도 직접 만져 보기는 처음인 악기들이었다. 새 악기를 대하는 나의 가슴, 여전히 콩닥거리기는 했지만 그때는 달랐다. '나를 위해서가 아니라 아이들을 가르치기 위한 것이지! 진정하자 진정해!' 라고 자신을 억누르며 악기에 끼어 있는 설명서를 읽어 가며 이렇게도 불어 보고 저렇게도 불어 보고 이리 뚝딱 저리 뚝딱, 일주일 후에 모든 악기들의 기본 스케일(음계들의 자리)과 악기를 제대로 부는 요령을 터득해 아이들을 위한 레슨 준비가 완료되었다. 지금 생각해도 기적 같은 일이었다. 하느님께서 함께하시니 가능한 일이었으리라 생각된다.

첫 곡을 합주하려면 적어도 두세 달은 걸리리라 생각했다. 하

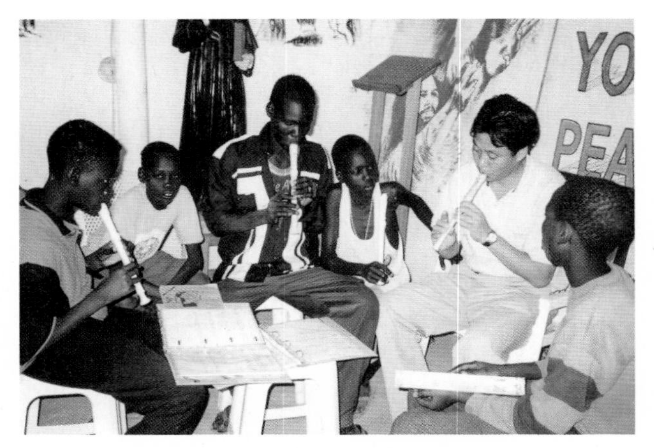

톤즈 마을 아이들에게 처음 음악을 가르치는 모습.

미사 시간, 반주를 하고 있는 아이들.

초등학교 2학년 소년에게 트럼펫을 가르치는 이태석 신부.

흙바닥에 앉아 동생에게 피리를 가르치는 타반.

지만 나의 예상은 빗나갔다. 대부분의 아이들이 하루 이틀 만에 적어도 한 옥타브 음계의 소리를 쉽게 불어 대고 있었다. 대단한 아이들이었다. 둘째 날 저녁, 부랴부랴 첫 곡 '주 찬미하라 Laudate Dominum'를 편곡하여 맹훈련을 시작했는데 아이들은 어려운 금관 악기들을 소 치는 아이들이 풀피리 불듯이 쉽게도 불어 댔다.

합주 연습 후 나흘째 되는 날 첫 합주곡을 다 같이 연주해 냈다. 그날의 그 감격을 어떻게 글로 표현할 수 있으랴! 그날은 이곳 톤즈에서 수십 년간 울려 퍼지던 총성 대신 클라리넷과 플루트 그리고 트럼펫의 아름다운 음악 소리가 처음으로 울려 퍼진 의미 깊은 날이었다. 연주가 끝난 후 "총과 칼들을 녹여 그것으로 클라리넷과 트럼펫을 만들면 좋겠다."라고 표현하는 아이들의 눈망울 속에서 음악을 통해 활동하시는 주님의 흔적을 진하게 느낄 수 있었다.

밴드를 시작한 지 두 달쯤 되었을 때 '천사의 양식Panis Angelicus'이라는 클래식 성가를 시도해 보았다. 아이들이 빠르고 경쾌한 음악을 좋아한다고 생각했는데, 이 곡을 시작하면서 심금을 울리는 장엄하고 느린 곡들을 오히려 더 좋아한다는 것을 알게 되었다. 파트별 연습이 끝난 후 합주를 위해 한자리에 모였다.

이 곡을 여러 번 들었지만 그렇게 거룩하고 장엄한 느낌으로 아니 마치 깊은 관상 기도와 같은 느낌으로 다가오기는 그날이 처음이었다.

툭툭 불거져 나오고 싶어 하는 교만의 본성을 절제하며 애절하면서도 호소력 있는 아름다운 선율이 피아니시모로 나오다가, 후반부엔 무한한 하느님의 사랑에 대한 주체할 수 없는 뜨거운 감동을 표현하기라도 하듯 소프라노 색의 트럼펫이 클라이맥스를 이끌어가고, 그 뒤를 바리톤 색의 트롬본이 뒤따른다. 감동이 나의 가슴을 뒤흔들어 놓았고 무아지경으로 음악에 몰입되어 뜨겁게 상기된 아이들의 모습이 눈에 들어왔다. 몇몇 아이들 눈에는 진주 같은 이슬이 맺혀 있었다. 형언할 수 없는 기쁨과 감사, 그리고 충만함이 나를 전율케 했다. 천상낙원의 음악이 바로 이런 것이리라는 생각이 들었다.

그리곤 짧은 시간에 나의 삶이 하나의 파노라마처럼 스쳐 지나갔다. 어릴 적 피아노 레슨을 받고 싶어 했던 것, 가난 때문에 성당에서 풍금만을 쳐야 했던 것, 얼굴을 따갑게 내리비추던 성당의 오후 햇살과 십자가 위에서 따스한 시선으로 지켜봐 주시던 예수님의 모습도 스쳐 지나갔다. 그리고 이곳의 가난, 전쟁, 파괴

음악반 학생들과 함께 간 소풍.

등이 하나의 영상처럼 지나갔고 가난하지만 하느님으로부터 소중한 탈렌트를 받은 이곳 아이들의 모습이 나의 어릴 적 모습과 겹쳐지기 시작했다. 눈물이 주르륵 흘렀다. 주체할 수가 없었다. 모든 것이 이해가 되었다. 한국에서의 나의 과거와 수단에서의 선교사로서의 현재가 시공을 초월하여 하나 됨을 느낄 수가 있었고, 그것은 마치 하느님에 의해 짜여진 하나의 '짜깁기'와 같다는 생각이 들었다. 옛날 풍금을 치고 있을 때 십자가 위에서 나를 바라보시던 예수님은 그때 이미 훗날 내가 선교사가 되어 아프리카로 오리라는 것을 알고 계셨을 것이며, 그때부터 나의 삶을 짜실 계획을 하셨고 필요한 것들을 준비시켜 주셨으며 지금껏 계속 곁에서 지켜봐 주셨을 것이라는 생각이 들자 보잘것없는 미천한 나에 대한 하느님의 엄청난 사랑을 느낄 수 있었다. 감사의 눈물이 장맛비 내리듯 끊임없이 흘러내렸다.

주님의 거대한 사랑의 물결이 '음악'이라는 내 삶의 작은 틈을 통해 흘러 들어와 이젠 내 삶 전체에 스며들어 있다는 것을, 내 삶이 독립된 나 혼자의 삶이 아니라 이곳 사람들의 삶의 일부이기도 하며 이곳 사람들의 삶도 내 삶의 일부라는 것을, 그리고 시공을 초월한 각기 다른 삶들의 조화로운 섞임이 십자가 위에서 바라보고 계시는 예수님의 마지막 유언이었다는 것을 아프리카의 한 작은 마을에서 '천사의 양식' 이라는 성가를 들으며 깨달을 거라고 누가 생각이나 했겠는가. 진작 깨달았으면 이 먼 곳까지 오지 않았어도 되었건만. 머리 나쁜 중생에게 이 간단한 깨우침을 주기 위해 이곳 아프리카까지 보내셨으니 머리가 나쁘면 수족이 고생한다는 말이 바로 나를 두고 한 말인가 보다.

이제 하느님께서는 이곳 아이들의 삶을 한 올 한 올 짜실 것이다. 각기 다른 형태와 색깔로 짜깁기를 하시겠지만, 나의 삶이 이곳 아이들의 삶의 짜깁기에서 작지만 꼭 필요한 귀퉁이 한 부분으로 남을 수 있었으면 좋겠다.

컨테이너 소동

이곳 수단은 역사적으로 전쟁이 잦았던 곳이라 사람들의 가슴에 상처가 많이 남아 있다. 네댓 살 정도의 꼬마 아이들도 상대가 누구이든 자신에게 피해를 주면 언제든지 목숨을 내놓고 싸울 준비가 되어 있다. 또 쉽게 아이들의 싸움이 부모들 간의 싸움이 되거나 더 나아가서는 가족들의 싸움, 심하면 마을 전체 혹은 부족 간의 싸움으로 이어지는 경우도 허다하다. 특히 소나 여자와 관련된 일이면 경찰과 군인들도 못 말릴 정도의 큰 싸움으로 번진다. 내 가족이나 부족 중에 한 사람이 상처를 입거나 살해를 당하게 되면 피해를 당한 부족의 누군가가 상대 부족 두 명을 해치워야 하고, 그러면 또다시 상대 부족이 공격해 와

세 명을 해치운다. 이런 식으로 싸움은 눈덩이 불어나듯 빠른 속도로 번지곤 한다.

25년간 이어졌던 남(본토 흑인)과 북(이슬람교의 아랍인)의 전쟁이 다행히 2005년 1월에 종식되고 평화 협정이 체결되었다. 2백만 명 이상이 목숨을 잃은 남 수단 사람들에게는 꿈에도 그리워하던 '평화'였기에 축제는 밤낮없이 몇 주간이나 이어졌다. "이젠 비행기 소리가 들려도 혼비백산 달아나지 않아도 되고 밤에 숲 속이 아닌 내 집에서 편하게 잠을 잘 수 있게 되었다."며 서로 부둥켜안고 웃고 울며 기쁨의 잔을 나누던 많은 사람들을 볼 수가 있었다.

하지만 수백만 명의 피를 통해 얻은 그 소중한 '평화'는 진정한 '평화'가 아니었던 모양이다. 북쪽으로부터의 공격은 없어졌지만 소나 여자와 관련된 문제로 자기들끼리 부족 싸움이 여전히 일어나고 있고 이런 싸움으로 다친 환자들이 떼를 지어 병원에 찾아오는 경우도 허다했다. 이러한 모습들을 지켜보면서 '진정한 평화'에 대한 의미를 자주 생각하게 되었다.

3년 전 한국에 갔을 때 수단의 가난한 이웃들을 걱정하는 많은 분들의 도움으로 컨테이너 세 대 분량의 물품을 준비할 수 있었다. 나는 먼저 수단으로 들어왔고 한 달 뒤 컨테이너는 배로 운송되기 시작했다. 그로부터 2개월 만에 케냐의 몸바사라는 항구에 도착한 컨테이너는 톤즈까지 다시 3천 킬로미터의 긴 육로 행렬을 시작했다.

강을 건너기도 하고 때로는 길이 없는 숲도 지나야 할 뿐 아니라 간간이 나타나는 도적들의 위험도 있어 물품을 고스란히 받을 확률이 아주 낮은 무모한 모험일 수도 있었다. 걱정이 깊었던지 꿈에까지 나타났다. 우연히도 그때가 사순절이 막 시작될 즈음이었다. 컨테이너가 몸바사 항구에서 출발한 지 한 달, 벌써 도착했어야 할 컨테이너가 아무런 소식도 없었다. 하지만 컨테이너 운전사와 도저히 연락할 길이 없었다.

다행히 지나가던 다른 트럭의 운전사를 통해 우리 컨테이너를 실은 트럭이 우간다와 수단의 국경 근처에서 차축이 부서져 3주째 퍼져 있다는 것을 알게 되었다. 한곳에 오래 머물러 있다가는 컨테이너를 통째로 도둑맞는 경우도 심심찮게 있었기에 눈앞이 캄캄했다. 많은 사람들의 얼굴이 떠오르며 잠이 오지 않았다. '가난하지만 공부에 목말라 하는 이곳 아이들을 위한 문구류와 책걸상이 들어 있고, 환자들을 위한 장비와 약품들, 그리고 전쟁을 통해 입은 마음의 상처를 조금이나마 어루만져 줄 악기들이

들어 있는데, 어떻게 하지?' 하지만 통화도 안 되는 곳, 차로 열흘 이상이 걸리는 그곳에 직접 가 볼 수도 없었다. 기도 외엔 할 수 있는 것이 아무것도 없었다. 긴 십자가의 길과도 같은 사순절이었다.

하지만 며칠 후 '컨테이너 안에는 여러 물건들보다 몇 백 배 더 소중한 것들이 들어 있다.'는 생각이 들기 시작했다. '도둑이 물건은 훔칠 수 있어도 그 안에 있는 값으로 따질 수 없는 가난한 이웃들에 대한 많은 분들의 따뜻한 관심과 사랑, 그리고 하느님의 섭리와 무한한 사랑은 훔칠 수 없다.'는 생각이 들자 마음이 편해지기 시작했다. 하느님께서 무조건 지켜 주실 것이라는 터무니없는 배짱도 생기기 시작했다.

그렇게 또 한 달이 흘렀다. 저녁 운동을 마치고 여느 때처럼 아이들과 망고나무 밑에서 묵주기도를 하고 있었다. 갑자기 땅을 흔드는 가벼운 진동이 내 가슴에 느껴지기 시작했다. 자동차 엔진 소리가 멀리서 들려오기 시작했다. 함께 있던 모든 이의 시선이 수도원 대문 쪽으로 향했다. 조금 후 요란한 소리를 내며 트럭 한 대가 수도원 안으로 들어왔다. 트럭의 뒷부분을 보니 큰 컨테이너가 실려 있었다. 그 뒤로 컨테이너를 실은 트럭 두 대가 꼬리를 물고 들어오면서 모습을 완전히 드러냈다. 뜨거운 감동과 감

나이로비에서 톤즈로 보낼 트랙터를 컨테이너에 어렵게 싣고 있다.

톤즈에 도착한 컨테이너에서 물품들을 내리고 있다.

빗속에서 분교 아이들과 함께.

사! 소리를 지르기도 아까울 정도로 기쁨은 너무나 컸고 깊었다. 차라리 침묵으로, 아니, 하고 있던 묵주기도만으로 그 뜨거움을 표현할 수 있었다. 그날은 놀랍게도 부활절이었다.

"평화가 너희와 함께 있기를."이라고 말씀하시며 트럭 세 대를 직접 운전하시어 수도원 대문으로 들어오시는 부활하신 예수님을 느낄 수 있었다. 아름다운 체험이었다. 이 컨테이너 사건을 통해 매년 특별한 느낌 없이 다가왔던 '평화가 너희와 함께 있기를.' 이라는 부활 메시지를 마음으로 느끼고 이해할 수 있게 되었다. 엄청난 희생과 보속도, 금전과 재물도, 자기 포기나 자아 발견도, 그리고 이웃을 위한 봉사도 결코 우리가 그토록 갈구하는 마음속 '진정한 평화' 의 원천이 될 수 없다는 것, 오직 예수님만이 그 평화의 원천이시라는 것, '부활하신 예수님께서 내 마음에 함께 있을 때만이 내가 진정으로 평화로워질 수 있다.' 는 것을 깨달을 수 있었다.

문을 걸고 숨어 있었던 제자들이 갑자기 평화롭게 호수로 나가 그물을 쳐 물고기를 잡고, 함께 불을 지펴 요리를 하고, 함께 음식을 나누며 평화로이 소풍을 즐길 수 있었던 것은 부활하신 예수님께서 그들과 함께 계셨기 때문이 아닐까 생각한다.

많은 사람들이 서로 상처를 주고받는다. 크고 작은 상처, 금방 아무는 상처, 세월이 흘러도 결코 지워지지 않는 심각한 상처, 이 모든 상처들은 우리가 갈구하는 마음의 평화에 큰 장애물이라고 우리는 생각한다. 하지만 따지고 보면 진정한 장애물은 우리 자신이 아닌가 생각된다. 우리의 삶이 부활하신 예수님과 함께하지 않는 삶이기에 우리의 평화의 벽은 쉽게 깨지고 그것을 통해 쉽게 상처를 받기 때문이다. 부활하신 예수님과 함께하는 소풍이나 잔치 같은 삶이라면 이웃의 조그마한 시비나 무관심도, 이웃의 무심한 말 한마디나 작은 실수도 절대로 우리에게 상처를 줄 수 없으리라 생각한다.

세상 그 누구도 그 무엇도 우리에게 진정한 평화를 줄 수는 없다. 오직 부활하신 그분과 함께하는 삶의 여정만이 진정하고 영원한 평화를 얻는 유일한 길이 아닌가 생각하게 된 작은 소동이었다.

골통은 어디에나 있다

골통 '봉구'(가명)는 우리 수도원에서 전설적인 인물이다. 수사들끼리 옛날 수도원 이야기를 하며 정담을 나눌 때 봉구는 심심찮게 추억의 주인공이 되곤 한다.

봉구는 알코올 중독인 할머니와 함께 살다가 아홉 살에 아는 수녀님을 통해 청소년 교호시설이 있는 D 동 수도원에 들어왔다. 그땐 나도 지원자로서 그곳에서 생활을 하고 있었는데 정말 어떻게 해 볼 수가 없는 아이였다. 누구든 봉구로부터 험한 욕을 들어 보지 않은 사람이 없었다. 신학생, 신부, 수녀 할 것 없이 수틀리면 입에 담을 수 없는, 생전 들어 보지도 못한 험한 욕들이 가래떡 나오듯이 굵고 길게 나오곤 했다. 수도원의 모든 식구들이 동원되어 달래도 보고 협박도 해 보고 창문 밖으로 내던지기도 해 보았으나 아무런 효과가 없었다. 벌을 주면 "흥" 하고 콧방귀를 뀌며 절대 받지 않았다. 죽어도 뜻을 굽히지 않는 완벽한 '골통' 이었다.

봉구를 보면서 많은 생각들을 하곤 했다. 처음부터 이렇게 태어나지 않았으니 분명히 누군가가 이렇게 만들었고 그렇게 만든 사람에게 책임이 있다는 생각이 들었다. 많은 사람들이 청소년 문제를 가정, 사회 또는 매스컴 등 애매모호한 대상에게로 탓을 돌리려 하지만 D 동 수도원의 시설에서 수사님들과 함께 사는 60여 명 아이들 가운데 99퍼센트가 결손 가정의 자녀들인 것을 보면 실제 범인은 나를 포함한 이 땅의 어른들이 아닌가 싶다. 봉구와 같은 아이를 보며 아이의 부모를 탓하기 전에 '내 탓이오!' 라고 자신의 가슴을 치는 어른들이 많을수록 봉구와 같은 아이들이 줄어들지 않을까 생각한다.

열일곱 살 희찬(가명)이는 가정법원에서 4호 처분 판결을 받고 D 동 수도원으로 보내진 아이였다. 부모님 없이 두 여동생을 돌보며 살다가 친구를 잘못 만난 탓에 폭행으로 들어온 아이였다. 가정법원의 철창 안에 있던 희찬이를 인수받아 수도원으로 들어

가기 전 근처 떡볶이집으로 데리고 갔다. 떡볶이집 할머니는 아이들을 손자 대하듯 모자라면 돈도 받지 않고 듬뿍듬뿍 더 얹어 주는 넉넉한 분이었다. 할머니의 후한 마음이 담긴 떡볶이와 계란 한 알을 푼 냄비 라면 한 그릇이 철창 안에 몇 주간 갇혀 있던 아이의 언 마음을 쉽게 녹게 하는 것 같아 법원에서 데려온 아이들을 항상 그곳으로 먼저 데리고 갔었다.

법원에서 돌아오는 전철 안에서 한마디도 하지 않던 희찬이가 말문을 열기 시작한 곳도 바로 그 떡볶이집이다. 마침 하교하던 중학생들이 떡볶이집에 꽤 있었는데 재잘대며 떡볶이를 먹고 있던 학생들을 부러운 듯이 바라보며 희찬이는 첫 마디를 내뱉었다. 나지막이 "교복 한 번 입어 보는 것이 소원인데!" 하는 게 아닌가? 내 귀를 의심하였다. 가슴이 철렁 내려앉았다. 어떻게 이럴 수가? 교복을 벗어 버리고 훨훨 자유로이 세상을 날고 싶어 하는 것이 요즘 아이들의 소원인데, 세상에 교복을 입어 보는 것이 소원인 아이가 있다니! 솔직히 그런 아이가 세상에 있으리라곤 한 번도 생각해 보지 못했었다.

희찬이의 그 짧은 한마디는 한 편의 시 같다는 생각이 들었다. 간결한 한마디에 모든 것이 담겨 있는 너무나도 슬픈 시 말이다. 그 시에는 희찬이 부모님의 삶, 아픔, 가난, 슬픔, 좌절도 들어 있지만 부모님에 대한 용서와 자신의 미래에 대한 희망과 다짐까지 들어 있지 않은가? 희찬이를 골통으로 만든 한 어른으로서 죄책감이 들어 가슴이 아리기도 했지만, 그래도 절망하지 않고 교복을 입어 보리라는 다짐을 하는 희찬이가 대견하기도 했다. 아무튼 교복을 입어 보는 것이 소원인 아이들이 있는 사회, 그 사회는 분명 문제가 있는 사회이고, 그 문제는 어른들의 책임이 아닐까 생각된다. "요즘 아이들은……." "무엇이 부족해서……." "어떻게 키웠는데……."라며 아이들에게 손가락질을 하지만 사실 그 손가락은 반대로 어른들 스스로에게 향해야 한다는 것을 얼마나 많은 어른들이 알고 있을까?

아프리카는 우리보다 몇백 년은 뒤떨어진 문명을 가진 곳이지만, 이곳에도 골통은 있다. 검정 골통들이다. '마족' 이라는 아이는 봉구와 거의 맞먹는 수준이다. 나이는 여덟 살 정도인데 속에는 80세 노인네가 들어앉아 있다. 부모도 친척도 없는 고아라서 우리가 운영하는 기숙사에서 지내는 아이인데 겸연쩍게 웃는 미소가 백만 불이지만 그 미소 뒤에 숨겨진 엄청난 고집과 배짱 그리고 음흉함은 당해 보지 않은 사람은 아무도 모른다.

또 얼마나 게으른지 챙기지 않으면 열흘도 좋고 한 달도 좋다.

성탄절 구유 앞에서 마족과 함께.

이유가 없다. 그냥 절대 씻지 않는다. 학교는 죽어도 가기 싫어한다. 숨는 데 귀신이라 매일 아침 숨바꼭질해 가며 학교에 보내는데도 일주일에 두세 번은 가지 않는다. 아이들과 싸울 때도 절대 주먹을 사용하는 일이 없다. 왼쪽 팔다리에 약간 마비가 있어 주먹으로는 상대가 되지 않기 때문에 큰 돌 작은 돌 할 것 없이 그냥 주위에서 잡히는 대로 집어 던진다. 닥치는 대로 집어 던지는 돌을 감당할 수가 없어 지금은 아예 아무도 마족을 건드리지 않는다. 정말 답이 나오지 않는 아이이다.

그래도 한 번은 휘어잡아야 되겠다 싶어 밖으로 내쫓은 적이 있다. 고픈 배 움켜쥐며 하루는 밖에서 버티더니 둘째 날은 도저히 안 되겠던지 눈물과 콧물이 범벅이 되어 돌아왔다. 여덟 살배기 작은 아이 속에 무엇이 들어 있는지 그래도 절대 잘못했다고는 말하지 않았다. 배는 고프지, 죽어도 잘못했다고 말하기는 싫지, 그러니 그냥 펑펑 울어 대기만 했다. 지금은 조금씩 좋아지고 있긴 하지만 그래도 평균에는 한참 떨어진다. 아직도 매일 심리전은 계속 되고 있다.

그래도 이런 골통들에게 왠지 은근히 정이 간다. 괜히 그들에게 가까이 다가가서 장난을 걸고 싶고 시비를 걸어 반응을 보고 싶어 하고 또 그것을 은근히 즐기는 것을 보면 나도 혹시 골통이 아닌가 하는 생각이 들 때도 있다. 사실 그들을 좋아하는 이유는 따로 있다. 나의 인내심을 단련시켜 키워 주고 나의 성소를 굳건히 지켜 주는 아이들이 바로 골통들이기 때문이다. 골통들은 운동선수들이 다리에 차고 뛰는 모래주머니 같은 아이들이다. 매고 달릴 때 힘이 들긴 하지만 계속 달리다 보면 모래주머니가 종아리에 알통이 배게 하듯 우리의 인내심에 알통이 배게 하는 인물들이 바로 요놈들이다. 잘만 하면 이 알통 덕에 나도 골통도 천국이 있는 곳까지 끝까지 함께 뛰어 같이 천국 문으로 골인할 수 있으리라는 생각을 하곤 한다.

골통들의 심리는 엄청나게 복잡한 삼차방정식 같지만 알고 보면 답만은 간단하다. 'X=사랑', 즉 사랑받고 싶어 하는 마음이 바로 정답이 아닌가 생각된다. 이상한 행동을 통해 어려운 방정식을 우리에게 던져 놓고 우리가 그것을 푸느라 고민하는 사이 골통들은 뒤에서 애처롭게 사랑을 구걸하고 있는지도 모른다.

답이야 간단하지만 알고 있는 답이 전부는 아니다. 방정식 속에 꼬여 있는 그들의 삶을 인내심을 가지고 풀어 주어야 하기 때문이다. 몇 년이 걸릴 수도 몇십 년이 걸릴 수도 있다. 그래서 사랑은 기다림이요 사랑은 인내가 아닌가 생각된다. 예수님께서 끝까지 우리를 기다려 주셨듯이 우리도 끝까지 우리의 골통들을 기

중국 쿵후 영화를 접해 보아서 그런지
아이들은 사진기를 들이대면 이렇게 쿵후 포즈를 취한다.

유치원 개구쟁이들.

다려 주다 보면 작은 기적들이 일어날 수 있으리라 생각된다.

지금도 어느 토요일에 있었던 봉구의 아름다운 행동을 잊을 수가 없다. 아니 평생 잊지 못할 것이다. 욕과 자신밖에 모르던 봉구가 어느 토요일 오후, 외출하면서 받은 귀한 용돈 1천 원(일주일 내내 기다리는 귀중한 용돈이다)을 몽땅 털어서 준비한 선물을 그날 생일을 맞은 한 친구에게 겸연쩍게 건네주는 아름다운 모습을 보았다. 오, 하느님! 하나의 기적이었다. 몇 년에 걸친 수사님들의 끈질긴 사랑에 봉구는 결국 항복하고 말았다. 골통 봉구는 그날 하느님께서 나를 부르신 이유를 분명히 보여 주었다. 끈질긴 사랑으로 골통들을 변화시키는 것에 내 삶을 바치는 것이 나의 소명이라는 것을. 이 귀중한 것을 가르쳐 준 봉구는 나에게 있어 스승과도 같다. 봉구를 생각하면 어떠한 골통도 두렵지가 않다. 귀엽고 감사할 따름이다.

주의하라! 그 골통은 '너' 도 될 수 있지만 '나' 도 될 수 있다. 하느님 앞에서!

콜레라 교훈

전쟁도 이런 전쟁이 있으랴? 정말이지 아비규환이다! 한 환자의 팔에 링거 주사액을 꼽고 채 돌아서기도 전에 심한 구토와 설사로 완전히 탈진한 새 환자들이 계속 실려 들어온다. 네 시간 만에 병원 마당이 환자들로 발 디딜 틈 없이 꽉 찼고 병원 밖의 망고나무 그늘 밑에까지 환자들을 눕혀 보지만 그것도 몇 시간 안에 만원이다. 평생 한 번도 보지 못했던, 그리고 교과서로만 배웠던 콜레라다!

밀려 들어오는 환자들에 비해 일손이 턱없이 부족하다. 환자들이 화장실에 갈 여력도 시간도 없다. 일어날 힘도 없어 그냥 누운 자리에서 계속 설사와 구토를 해 댄다. 얼굴은 심한 탈수로 인해 가족들도 알아보지 못할 정도로 눈과 볼이 쑥 들어가 뼈만 앙상하게 남아 있다. 설사를 하는 한 환자의 모습을 보게 되었다. 내 눈을 믿을 수가 없었다. 확 열린 수도꼭지에서 나오는 수돗물처럼 콸콸 흘러나오고 있었다. 10초 정도를 그렇게 흘려보낸 뒤 환자는 그 자리에 푹 쓰러졌다. 몇 초 만에 2-3리터의 물이 몸에서 빠져나가 수분과 전해질 부족으로 지탱할 힘이 없는 것이었다. 그렇게 네다섯 번 정도 설사를 하고 나면 몸에 남아 있는 물이 거의 없게 되어 대량의 링거액을 혈관 주사로 급히 공급해야 한다. 그렇지 않으면 심한 탈수로 한두 시간 안에 목숨을 잃게 되는 위급한 상황에 처하게 된다.

그것은 초를 다투는 시간과의 전쟁, 그리고 물을 짧은 시간 안에 몸속에 사정없이 퍼부어야 하는 물과의 전쟁이기도 했다. 보통 500시시 링거액을 적게는 여섯 병 많게는 열 병 이상을, 그것도 최대한 빠른 속도로 주입해야 하는데 100여 명의 환자에게 그렇게 수액을 공급한다는 것이 보통 일이 아니었다. 자기에게 주사를 먼저 놓아 달라는 환자들의 아우성, 구토와 설사를 하는 '우왝' 소리, 복통과 근육통으로 인한 신음 소리, 구토와 설사의 분비물들에서 나오는 악취와 엄청나게 달려드는 수십만 마리의 파리 떼, 링거 주사액을 들고 환자들 사이로 바쁘게 이리 뛰고 저리

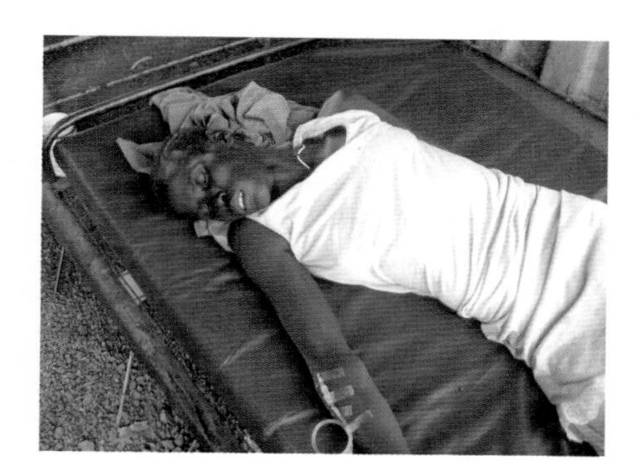

진료소 마당에 누워 있는 콜레라 환자들.

마을 주민들을 진료하는 모습.

뛰는 나와 간호사 수녀님의 긴장된 숨소리, 병원에 도착하자마자 명을 다한 환자 가족들의 곡소리 등 정말이지 전쟁터를 방불케 하는 처참한 아수라장이었다.

며칠 간을 밤낮으로 뛰어다니다 보니 내 몸도 너무 지쳐 있었다. 의사 한두 명만 더 있었으면! 아니 혈관 주사를 꼽을 수 있는 간호사 몇 명만 더 있었으면! 하지만 그렇게 아쉬움에 빠져 있을 시간도 없었다. 지쳐 있는 몸을 추슬러 정신을 차리려 애써 보았다. '우리 도움이신 마리아여 도와주소서!' 라고 성모님께 간절히 기도도 드렸다. 그러곤 오라토리오에 오는 제법 큰 학생들 여섯 명을 불러 사람들을 살려 보자며 도움을 요청했다. 자기들도 전염이 될까 겁에 질려 쉽게 대답을 하지 못했다. 하지만 "하느님은 하느님을 위해서 일하는 사람들을 꼭 지켜 주실 것이니 절대 걱정하지 마라."는 나의 말에 조금 안심이 되었는지 눈을 크게 뜨며 그렇게 해 보겠다고 대답을 했다.

무슨 일이 있어도 손을 입 안에 절대 넣지 말 것! 환자를 만진 뒤 데톨 비누로 꼭 손을 씻을 것! 이 두 가지 명령 아래 두 명은 교대로 환자들 주변에 소독약을 뿌리게 하고 나머지 네 명은 나와 수녀님을 도와 링거액 교체하는 일을 하도록 했다. 일사불란했다. 이틀 뒤엔 도와주던 아이들에게 혈관 주사를 직접 놓도록

시켜 보았더니 숙련된 간호사들처럼 척척 해내기 시작했다. 일이 한결 쉬워졌고 도움이신 마리아께서 정말 도와주고 계심을 피부로 느낄 수 있었다. 하루에 한두 시간밖에 자지 못해 많이 지쳐 있음에도 아무런 불평 없이 오히려 자기들의 희생이 많은 사람의 생명을 살리는 존엄한 일이라며 기쁘게 일하는 아이들을 보며 감동하지 않을 수 없었다. 그 아이들이 혹시 성인聖人들이 아닌가 하는 생각도 들었다.

3월 말에 시작된 콜레라는 이렇게 한 달 정도를 누비고 돌아다니며 마을 전체를 뒤흔들어 놓았다. 마을에 상을 당하지 않은 가족이 거의 없을 정도로 많은 사람이 희생되었다. 이렇게 된 것은 콜레라에 대한 주민들의 무지 때문이었다. 대부분이 처음 당하는 일이라 간단한 설사병으로 여기고 하루 이틀 저절로 멎기를 기다리다 병원에 와 보지도 못하고 집에서 변을 당한 사람들도 많다. 이러한 환자들을 보며 정말 무서워해야 될 것은 우리가 앓고 있는 질병 자체가 아니라 우리가 그 병을 앓고 있다는 것을 모르는 무지가 아닌가 하는 생각이 들었다.

현대 사회는 개인뿐만 아니라 사회가 물질주의라는 병을 앓고 있다고 한다. 하지만 문제는 그 병 자체가 아니라 개인이나 사회가 그 병을 앓고 있다는 것을 모른다는 데에 있다. 이 무지는 콜레라처럼 많은 사람의 목숨을 앗아 가기 때문이다. 의식도 하지 못한 채 병적으로 생명보다 물질에 더 가치를 부여하는 현대의 질병은 지금도 어느 곳에서 많은 사람의 목숨을 앗아 가고 있으리라 생각하니 남의 일 같지 않다.

페스트처럼 무시무시했던 콜레라의 원인은 더러운 물이었다. 25년간 지속되던 전쟁이 끝나고 고향인 톤즈로 다시 돌아온 많은 사람들의 숫자에 비해 우물이나 수동식 펌프가 터무니없이 부족해 많은 사람들이 건기의 마른 강물을 식수로 사용할 수밖에 없었던 것이 문제의 발단이었다. 한마디로 원인은 오염된 강물이었다.

이번 일을 치르며 물의 중요성을 다시 한 번 깊게 느낄 수 있었다. 환자들과 씨름을 하며 사마리아 여인에게 하신 예수님의 말씀이 자주 떠올랐다. '생명의 물!' 얼마나 적절한 비유인가. 물과 생명! 설사로 인해 빠져나오던 엄청난 양의 물은 단순한 물이 아니라 생명이 빠져나오는 것이었고, 환자들에게 투여했던 링거액도 몸으로 들어가는 생명의 물이었다.

문득 많은 현대인들은 혹시 영적인 콜레라에 걸린 것이 아닐까라는 생각이 들었다. 생명의 물, 하느님의 진리와 사랑의 가치가 인간의 영혼에서 급성으로 빠져나가 영혼이 탈진된 위급한 상태 말이다. 탈진된 영혼에 링거액을 부어 줄 사람들이 많으면 많을수록 이 세상은 건강한 영혼들이 많은 아름다운 세상이 될 수 있을 텐데…….

고통 받는 환자들을 보며 '콜레라의 원인이 단순히 더러운 물만일까?' 라는 의문이 들었다. 물론 오염된 강물도 문제였지만 더러운 줄 뻔히 알면서도 그 물을 마실 수밖에 없었던 이곳의 열악한 환경이 더 근본적인 원인이 아닐까 싶다. 그렇다면 우리에게도 책임이 어느 정도는 있지 않은가? 선진 기술의 문화는 지구의 오존층을 파괴했고 지구 온난화를 야기 시켰으며 그것이 아프리카의 열악한 환경에 적지 않게 영향을 미쳤다고 본다면 많은 사람들의 목숨을 앗아 가는 아프리카의 여러 전염성 질환에 우리도 어느 정도 책임을 느껴야 한다는 생각이 들었다. 콜레라는 수인성 전염병이라며 모든 책임을 물에만 돌리는 것은 분명한 책임회피라는 생각이 들었다.

전쟁과도 같았던 한 달! 육체적으로 너무 피곤했던 한 달이었지만 영적으로는 은혜롭고 풍성한 한 달이었다.

천국의 열쇠

우리가 운영하는 병원을 찾아오기 위해 하루나 이틀, 또는 삼사일을 걸어야 하는 환자들의 불편을 조금이나마 덜어 주기 위해 매주 수요일마다 먼 곳의 숲 속 마을로 이동 진료를 나간다. 지프에 약품 상자와 물, 그리고 비스킷과 옷 등을 싣고 아침 일찍 출발해 마을에 도착하여 차 경적을 울리면 남녀노소 할 것 없이 앞다투어 모여든다. 진료를 받아 약도 받고 운 좋으면 주사까지 맞을 수 있는, 두세 달 만에 한 번 오는 소중한 기회이기 때문이다.

8년 전 '쵸나' 라는 나환자 마을로 진료를 나갔던 그날의 일은

아직도 나의 가슴에 아물지 않는 상처로 남아 있다. 진료를 마친 뒤 나환자들에게 다달이 배급하는 강냉이와 식용유를 나누어 주었다. 한 어머니가 예닐곱 살 정도의 딸아이를 데리고 와 나병이 아니냐며 몸에 난 반점들을 보여 주었다. 피부 신경 검사를 해 보니 간단한 체부백선(무좀)이었다. 어머니에게 "다행히 나병이 아니네요, 축하합니다!"라고 하자 기뻐할 줄 알았던 어머니가 아주 서운해하며 딸아이의 손을 잡고 힘없이 돌아섰다. 어머니의 손에 쥐어져 있던 강냉이와 식용유를 담아 가기 위해 미리 준비한 비닐 포대와 작은 깡통이 눈에 들어왔다. 아뿔싸! 모녀가 슬퍼하는 이유를 그때서야 알아차렸다. 허탈하게

매주 수요일마다 나가는 이동 진료.

되돌아가는 모습이 너무 안쓰러워 뒤로 살짝 불러 강냉이와 식용유를 주긴 했지만, 집에 남아 있는 아이들의 입에 풀칠이라도 해 보려고 눈에 넣어도 아프지 않은 딸이 나병에 걸렸기를 바랄 수밖에 없었던 그 어머니의 심정을 헤아려 보니 가슴이 저려 왔다.

'원수 같은 가난이 사람을 이렇게도 비참하게 만드는구나.' 라는 생각이 머리에서 떠나지 않았다. 지금도 그 일을 생각하면 대상이 누군지는 모르지만 화가 치밀어 올라온다. 인간의 기본적인 인권조차 보장해 주지 못하게 하는, 나눔의 정신이 부족한 이기주의적인 사회 구조가 그 '화' 의 대상이 아닐까 하는 생각이 들긴 하지만, 빈貧만 있고 부富가 없는 이곳은 말 그대로 빈부의 차가 없는 곳이다.

모두가 가난한 곳이지만 그중에서도 정말 찢어지게 가난한 사람들이 있다. 바로 나환자들이다. 감각이 없어 손과 발에는 항상 많은 상처들이 있고, 고름이 터진 상처 때문에 악취 또한 대단하다. 차마 집이라고 할 수조차 없는 움막에서 거처하는 이들은 가족들로부터, 그리고 사회로부터 버림받아 마음의 상처 또한 깊다. 이들에게 식량을 배급하고 집을 지어 주며 간단한 농사를 지을 수 있도록 땅을 마련해 주고 가끔씩 마을에 들러 치료도 하고 이런저런 이야기를 나누며 그들의 친구가 되도록 노력을 해 보지

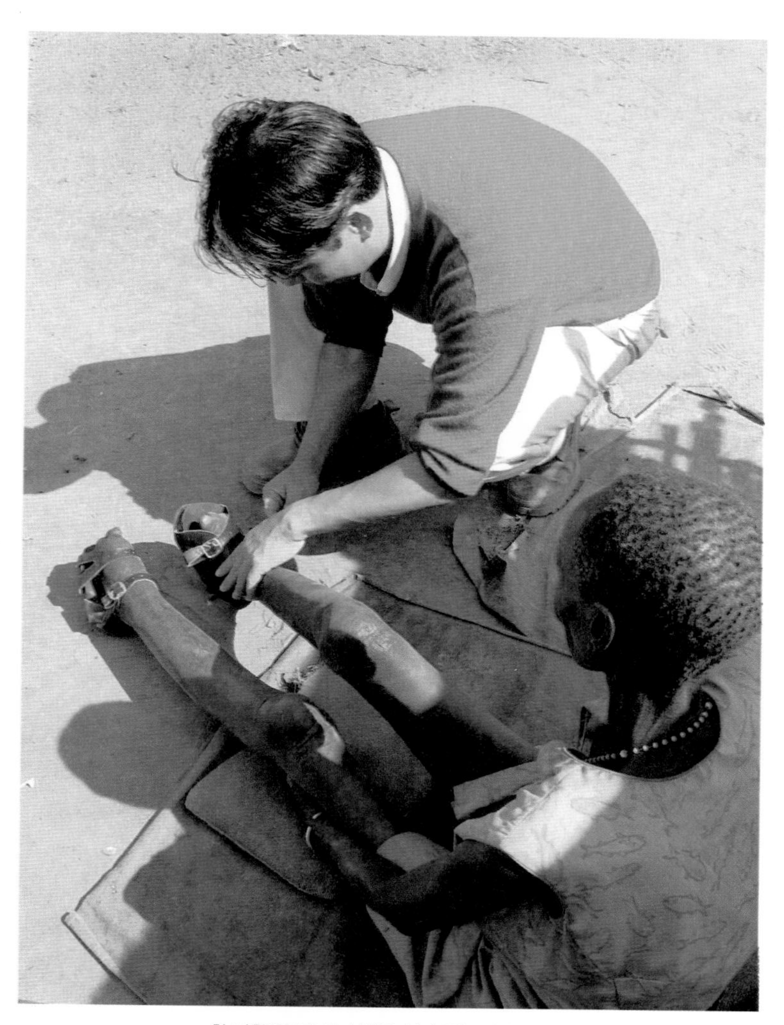

한 나환자에게 새 신발을 신겨 주는 이태석 신부.

만 그들의 안과 밖의 깊은 상처를 어루만지기엔 그 모든 게 턱없이 부족하다는 것을 안다.

그러나 아무에게도 도움을 줄 수 없고 오직 다른 이들의 도움으로만 살아가는 그들이지만, 그들과 지내면서 그들은 특별한 능력을 지닌 사람들이라는 것을 발견할 수 있다. 그중 하나는 조그마한 것에도 감사를 느끼고 그것을 표현할 줄 아는 능력이다. 보통 이곳 주민들은 약, 주사, 음식 등 모든 것을 무료로 베풀어도 '고맙습니다!' 라는 말을 절대 하지 않는다. 조그마한 것이라도 들고 와서 고마움을 표현하는 경우는 더더욱 찾아보기 힘들다.

그런데 이러한 그들의 문화의 벽을 깨고 직접 농사지은 호박이나 날씬한 아프리카 토종닭을 들고 와 고맙다는 인사를 한 사람이 8년 동안 딱 세 사람 있었는데, 그중에 두 명이 놀랍게도 나환자였다. 과부의 헌금처럼 닭 한 마리는 그들에게 엄청난 재산이라는 것을 생각하면 정말 감동적인 일이 아닐 수 없다. 그들은 육체적으론 문드러지고 사회적으론 버림받았지만 마음만은 어느 누구보다도 부유하다는 것을 배울 수 있었다. 감각 신경이 마비되어 뜨거운 것, 아픈 것을 느끼지 못해 손과 발에는 화상이나 상처가 가득하지만 감각 신경의 마비를 보완이라도 하듯 보통 사람보다 수십 배나 민감한 영혼들을 지니고 있다. 자그마한 것에 기뻐하고 감사할 줄 아는, 그 감사를 기어코 무언가로 표현하고 싶어 하는 아름다운 영혼 말이다.

그들을 보면서, 육체적으론 완전한 감각을 지니고 있고 하느님으로부터 많은 것들을 받아 누리고 있지만, 그것들이 나의 것인 양 당연히 여길 뿐 전혀 감사할 줄 모르는 우리의 무딘 마음이 혹시 나병을 앓고 있는 것은 아닌가 하는 생각이 들 때도 있다. 흉측한 상처 때문에 많은 사람들이 그들을 멀리하지만 한편으로 그들은 사람들의 마음을 움직여 자신들 주위로 불러 모아 하나 되게 하는 신비스러운 능력을 지니고 있다.

1999년 여름, 전쟁 중이던 이곳을 처음 찾아왔을 때 많은 것들이 나에게는 충격이었다. 하루 한 끼도 제대로 먹지 못해 뼈만 앙상히 남아 있는 사람들, 전쟁으로 인해 부서진 건물과 수족이 없는 장애인들, 거리를 누비는 헐벗은 사람들, 한 동이의 물을 얻기 위해 몇 시간을 걸어야만 하는 아낙네들, 학교가 없어 하루 종일 빈둥거리는 아이들을 보면서 전기에 감전된 듯한 충격으로 며칠을 멍하게 지냈다.

정신을 차려 보니 벌써 삼사일이 흘러 있었고 이들을 위해 뭔가를 해야만 한다는 강한 의지가 생기기 시작했다. 특히 나환자 마을을 방문하면서는 그들을 도와야 한다는 단순한 인간적인 의지를 넘어서 다른 차원의 특별한 어떤 것을 느낄 수 있었다.

그들의 삶은 처참하기 이를 데 없고 가장 버림받은 삶이 분명했지만 역설적이게도 그 안에서 그들을 위로하며 함께하시는 예수님의 존재를 느낄 수 있었다. 그때 느낀 예수님은 슬픔의 늪에서 피어난 한 송이 아름다운 꽃과 같은 느낌으로 다가왔다. 예수님의 부족한 손과 발이 되어 그들과 함께하며 살고 싶은 강한 소명도 느끼게 되었다. 지금 생각해 보면 그때 톤즈에서 열흘을 지낸 뒤 떠나오면서 '서품을 받은 후 이곳으로 꼭 돌아오리라.'는 강한 다짐을 가지게 한 것은 가난과 전쟁으로 고통 받는 이들을 향한 인간적인 동정심이 아니라, 예수님께서 그 안에 살아 움직이고 계시는 신비스러운 힘을 지닌 '나환자들의 삶' 때문이었다는 것을 느끼게 된다.

나로 하여금 소중한 많은 것들을 뒤로 한 채 이곳 수단까지 오게 한 것도, 열악한 환경이지만 후회 없이 기쁘게 살 수 있는 것도, 모두가 사람의 마음을 움직여 그들 주위로 모이게 하고 주님의 존재를 체험하게 만드는 보잘것없는 나환자들의 신비스러운 힘 때문이라는 것을 생각하면 그들에게 머리 숙여 감사하게 된다.

이러한 나환자들의 특별한 능력을 보면서, 식물인간, 뇌성마

나환자들에게 새 신발을 신겨 주고 나서 함께 노래를 부르고 있다.

비, 뇌졸중, 자폐증 등 다른 사람의 도움 없이는 한 발짝도 움직일 수 없는 환자 가족들과 함께하는 많은 사람들의 고통에 대해서도 가끔 묵상을 하게 된다. 환자들의 고통도 고통이지만 아픔을 가슴에 품고 평생 그들을 보살펴야 하는 가족들의 고통은 당해 보지 않고는 아무도 모를 것이다. 그보다 더 큰 멍에나 십자가가 이 세상에 또 있으랴. 하지만 아무것도 할 수 없는 그들이 다른 가족 구성원들에게 미치는 힘은 때로는 상상을 초월한다. 가족을 하나 되게 하고 가족들에게 참된 신앙을 갖게 하며 가족들로 하여금 하느님을 깊게 체험하게 하는 그들의 힘은 신비스럽기 이를 데 없다.

물론 시간도 많이 걸리고 엄청나게 큰 고통의 문을 통과해야 하겠지만, 우리에게 뜻밖의 큰 은총의 선물을 주는 그들에게 우리가 오히려 감사해야 하고 그들을 우리에게 보내 주신 하느님께도 감사드려야 되지 않을까 하는 생각이 든다. 왜냐하면 그들은 우리에게 오신 작은 예수님일 수도 있고, 마지막 심판 때 우리가 주님 오른편에 설 수 있도록 하기 위해 미리 파견된 천사일 수도 있으며, 우리에게 천국의 문을 열어 줄 천국의 열쇠일지도 모르기 때문이다.

행복 정석

이곳 수단은 '거꾸로 가는 세상'이다. 모든 것이 우리와는 반대이다. 위치로도 그렇고 주어진 상황이나 삶의 방식도 그렇다. 정말이지 많은 것들이 이곳엔 없다. 전기, 전화, 텔레비전은 물론이고 슈퍼마켓도 없다. 간단한 자동차 부품이나 하다못해 나사못 같은 간단한 것들마저 구할 수 없어 나이로비에서 인편으로 가져올 때까지 몇 달이고 기다려야 한다.

나는 '빨리빨리!'로 유명한 한국인이기에 처음엔 많이 답답했지만 기다리는 것도 습관이 되다 보니 어느 정도 견딜 만하다. 그리고 기온이 40-50도를 오르내리는 곳이라 시원한 맥주, 아니 시원한 냉수 한 컵이 생각날 때도 많지만 냉장고를 돌릴 전기가

나환자 마을. 선물로 받은 사탕을 들고 행복해하는 아이.

없으니 포기하고 따뜻한 물이긴 하지만 그래도 마실 물이나마 있는 게 다행이라 생각하고 마신다. 닭들도 영양 부족인지 다들 영계 만한 크기다. 한 달에 겨우 몇 번 낳는 계란도 메추리알만큼 작아 1인분 프라이를 하려면 적어도 서너 개는 있어야 한다.

'없는 것이 없는' 한국과는 반대로 이곳은 말 그대로 '있는 것이 없는' 곳이다. 옷과 신발이 부족해 벌거벗고 맨발로 다니는 아이들도 많고 부시 마을 안으로 들어가 아이들에게 사탕을 주면 생전 처음 보는 사탕을 어떻게 먹어야 할지 몰라 껍질도 벗기지 않고 입속에 넣어 버리는 아이들도 쉽게 볼 수 있다. 화장실은 물론 화장지도 없다. 넓은 들판에 나가 뒤를 해결하고 풀이나 나뭇잎으로 마무리를 한다. 팬티라는 것도 모르고 부끄러움도 별로 느끼지 않는다. 진료실에서 아픈 곳을 물어보면 아무 거리낌 없이 옷을 벗어젖히고 보여 준다. 오히려 내가 민망할 때가 많지만 때로는 아담이 선악과를 따 먹기 이전의 순수함을 느낄 수가 있어 좋다.

여자들의 여성성에 대한 무지 또한 대단하다. 자신이 임신 몇 개월인지 모르는 임산부들도 많고 "임신한 지 이삼 년이 지났는데 배도 불러오지 않고 아기도 나오질 않는다."고 불평을 하며 병원을 찾아오는 아낙네도 종종 있다. 이들은 폐경기에 있는 아낙네들이다. 폐경에 대한 지식이 없어 월경이 없는 것만 보고 2년이고 3년이고 계속 임신한 걸로 착각하며 살아간다.

이렇게 가진 것 없는 단순한 그들의 삶이지만 신기하게도 우리가 쉽게 가질 수 없는 소중한 그 무엇이 이들의 삶에 배어 있음을 느낄 때가 많다. '삶의 맛', 즉 '행복'이 그것이다.

하루는 만성 말라리아 때문에 입원을 한 여섯 살 정도 되는 남자 아이가 근처에 사는 친척이 준비해 온 수수죽 한 그릇을 사이에 놓고 아버지와 실랑이를 벌이고 있었다. 가까이 가서 왜 죽을 먹지 않느냐고 물으니 아이는 "아버지가 아침부터 굶어 분명히 배가 고픈데 나누어 먹자고 하니 절대 먹지 않겠다."고 한다며, 그래서 아버지가 먼저 한술 뜨기 전엔 자기도 절대로 먹지 않겠다며 눈을 부릅뜨고 아버지와 눈싸움을 하고 있었다. 얼마나 아름다운 광경인가! 그 부자의 눈싸움은 사랑의 눈싸움이요 행복의 눈싸움이었다. 수수죽 한 그릇으로 그들은 가슴 찡한 행복을 만들어 내고 있었다. 이들을 보며, 더 많은 걸 가져야 하고 더 많은 걸 누려야 하는 것이 행복이라고 생각하는 우리의 행복관이야말로 애당초 시작부터가 잘못된 것이 아닌가 생각된다.

가진 것은 적지만 그것을 서로 나누고자 하는 마음, 자그마한 것으로 만족하고 감사하는 마음, 무엇보다도 산상 설교에 나오는 텅 비워진 '가난한 마음'이 이들이 누리는 행복의 비결이 아닌가

분교 아이들의 점심 시간.

하는 생각이 든다. 이곳 사람들은 집에 불이 나서 모든 것이 다 타 버려도 실제로 잃은 것 별로 없고 집도 흔한 마른풀과 진흙으로 금방 다시 지을 수 있으니 그렇게 슬퍼하지 않는다. 이러한 무소유와 가난한 마음 덕에 이들이 우리보다 행복을 더 쉽게 누리는 것이 아닐까, 라는 생각이 든다. 갖은 양념과 비싼 조미료를 넣어 만든 음식의 맛이 사실은 양념과 조미료의 맛이지 진정한 음식의 맛이 아니듯이 우리가 가진 많은 것들 때문에 우리의 삶이 행복한 것처럼 착각하지만 실제로 그것은 삶에 발린 많은 양념과 조미료에서 나오는 거짓 '맛' 이지 실제 삶 자체에서 나오는 맛, '행복의 맛' 은 분명히 아니라고 생각된다.

이들과 함께 살다 보니 나 자신도 알게 모르게 조금씩 부시맨이 되어 가는 것을 느낀다. 나이로비로 나갈 때 비행기가 케냐 북쪽의 '로키쵸기오' 라는 작은 비행장이 있는 곳을 들러서 가게 되는데 그곳은 아스팔트가 깔려 있긴 하지만 시설로 보면 우리나라 시골 시외버스 정류장보다도 못한 작은 공항이다. 하지만 몇 개월을 숲 속에서 살다 도시로 나가는 부시맨의 눈에는 그곳이 얼마나 근사하고 으리으리해 보이는지 모른다. 이 작은 비행장이 으리으리하게 보일 정도면 부시맨이 한국으로 들어갈 때는 어떠하겠는가? 고급스러운 일회용품과 수준 높은 서비스가 있는 서울행 비행기 안에서부터 주눅이 들기 시작해 한국에 도착하면 완전히 기선을 제압당한다.

나도 가끔 한국에 가게 되면 자동차가 아무 소음 없이 스르르 미끄러지는 잘 정돈된 아스팔트 도로, 세련되게 차려입은 사람들의 유난히도 하얀 피부, 밤거리의 휘황찬란한 네온사인, 꼭 신발을 벗어야만 될 것 같은 깨끗한 지하철 역사들, 미끄러질까 조심조심 걸어야 하는 부촌의 성당 제대 위 등, 이런 것들 때문에 잠시 이방인이 된 듯한 느낌이 들기도 하고 모든 것이 거꾸로 매달려 있는 듯한 느낌이 들 때도 있다.

하지만 사람들을 만나기 시작하면서, 특히 피부색은 다르지만 아프리카 형제자매들의 삶의 고통을 아쉬워하고 그들을 위해 기도를 해 주며 작은 것이나마 그들과 나누고 싶어 하는 좋은 사람들, 행복의 원천이 무엇인지 아는 많은 사람들을 만나면서 거꾸로 달렸던 것들이 조금씩 제자리로 돌아옴을 느끼기 시작한다. 그들과의 만남을 통해 모든 인간을 철저하게 사랑하시는 하느님을 발견하기도 하고, 때로는 새로운 '하늘 나라 수학'을 배우기도 한다. 가진 것 하나를 열로 나누면 우리가 가진 것이 십 분의 일로 줄어드는 속세의 수학과는 달리 가진 것 하나를 열로 나누었기에 그것이 '천'이나 '만'으로 부푼다는 하늘 나라의 참된 수학, 끊임없는 나눔만이 행복의 원천이 될 수 있다는 행복 정석을 그들과의 만남을 통해서 배우게 된다.

부족한 것들 때문에 이곳에서의 생활이 불편한 점도 있긴 하지만 부족한 것들 덕분에 얻는 평범한 깨달음도 많다. 무엇보다도 작은 것들에 대해 감사하는 마음을 덤으로 얻게 되어 기쁘다. 2년에 한 번씩 한국에서 지내는 두 달 정도의 휴가 기간은 매일이 감사절이다. 찬물 한 잔에도 진심으로 감사하는 마음이 생기고 시원한 맥주 한 잔은 곱배기 감사다. 길을 가다 배가 고플 때

어디서든지 쉽게 찾을 수 있는 식당을 보면서도 감사하게 되고 고속도로 휴게소의 따끈한 우동 한 그릇을 보면서도 감사하게 된다. 못이나 경첩 등 집수리에 필요한 모든 것이 있는 철물점 주인을 보면서도 감사함을 느끼고 24시간 언제든지 쓸 수 있는 전기시설을 보면서도 감사함을 느낀다. 조용하고 편안한 고속버스를 타도 감사함을 느끼고 서울에서 2시간 40분 만에 부산까지 데려다 주는 KTX도 조금 비싸긴 하지만 너무 감사하다. 무엇보다도 사랑하는 가족들과 친척 그리고 친구들과 함께할 수 있도록 주어진 소중한 시간에 대한 감사는 말할 수 없이 크다.

원래 나는 이런 사람이 아니었는데 마주하는 모든 것 하나하

나가 하느님이 주신 구체적인 선물이라는 것을 피부로 느끼는 것이 신기하기만 하다. 그런 걸 보면 많이 가지지 않으므로 인해 오는 불편함은 참고 견딜 만한 충분한 가치가 있는 모양이다. 그것을 통해 우리가 누리고 있는 것에 대한 참된 가치를 알게 되고 감사하는 마음까지 생기게 되며, 그것을 통해 인간에 대한 하느님의 지극한 사랑을 저절로 느끼게 되니 말이다.

매일 바치는 '보다 많이 가지게 해 달라.' 는 기도 대신 가끔은 '보다 적게 가지게 해 달라.' 는 기도가 우리 그리스도인들에게 성스러운 영적 전략이 될 수도 있겠다는 생각이 든다.

아줌마 손가락처럼 생겼다고 해서 '레이디스 핑거Lady's finger' 라고 부르는
채소를 수확하며 활짝 웃고 있다.

영혼의 전문가

이곳 수단은 전염병이 많은 곳이다. 환자들의 90퍼센트 이상이 전염병 때문에 병원을 찾아온다. 전염병 중에서도 말라리아가 단연 1위이다. 감기 몸살처럼 경미한 말라리아도 있지만 고열, 경련 등의 증상을 동반하는 심한 경우가 많고 하루 이틀 만에 목숨을 잃는 악성 말라리아도 꽤 있다. 그밖에 결핵, 이질, 장티푸스 등의 환자들도 꽤 있고 가끔 콜레라나 전염성 뇌막염도 기승을 부려 많은 사람의 목숨을 앗아 가기도 한다. 이렇게 전염병이 만연하는 데는 여러 가지 이유가 있다. 강한 햇빛이나 축축한 우기 등 열악한 환경이 그렇고 위생 관념이 부족한 것도 그렇지만 영양 부족으로 면역 기능이 떨어진 것 역시 그 원인 중 하나다.

이러한 질환의 전염 속도는 상상을 초월할 만큼 빠르다. 특히 콜레라, 홍역 그리고 뇌막염은 KTX 열차 저리 가라다. 순식간에 전 지역으로 퍼져 많은 사람들의 목숨을 앗아 간다. 어떨 땐 '복음 말씀도 전염병처럼 이렇게 빨리 전파될 수 있으면 얼마나 좋을까.' 라는 생각을 하며 그들의 스피드가 부러울 때도 있다.

그런데 재미있는 것은 흉악한 전염병이긴 하지만 그들의 꼬락서니를 잘 관찰하면 그들로부터도 배울 점이 있다는 것이다. 그들의 큰 공통점 중의 하나는 매개체를 잘 이용한다는 것인데 매개체의 속성을 훤히 파악해 그것들을 기가 막히게 잘 이용하는 것이다. 말라리아의 매개체는 모기인데 환자의 피를 빠는 짧은 순간에 모기의 가는 침을 통해 말라리아균이 재빠르게 모기 안으로 들어가 그 안에서 성장하게 된다. 그 뒤 모기가 다른 사람의 피를 빨 때 다시 그 사람의 피 속으로 들어가 적혈구를 공격하고 간이나 비장을 파괴시킨다.

이에 비해 콜레라나 장티푸스는 물 전문가들이다. 환자의 배설물을 통해 나온 균들은 재빨리 물속으로 잠수해 기회를 노리다가 물이나 음식물에 숨어 사람 입속으로 들어가 오장육부를 뒤집어 놓아 인간의 뒤를 쩔쩔매게 한다.

결핵이나 유행성 뇌막염은 공기 전문가들이다. 양탄자를 타고 날으는 아라비아 마술사처럼 공기에 떠다니는 먼지를 타고 날아다니다 사람의 호흡기로 들어가 광부들이 석탄 캐듯 폐를 갉아먹거나 뇌로 이동해 문제를 일으킨다. 이것들은 이렇게 매개체의 생리를 간파하고 있는 대단한 전문가들이라 백전이면 무조건 백승이다.

우리 그리스도인들도 이들의 전염 속도를 부러워만 할 게 아니라 매개체를 이용하는 법을 배우면 그들 못지않게 빠른 속도로 복음을 전파시켜 이 세상을 사랑과 희생으로 물든 아름다운 세상으로 만들 수 있지 않을까, 라는 생각이 든다. 그런데 그리스도인들이 이용해야 할 매개체가 과연 무엇일까. 그것은 성경일 수도 있고 교리일 수도 있고 대중매체일 수도 있으며 성사일 수도 있겠지만 우리 그리스도인들이 이용해야 할 매개체, 복음화 속도에 불을 붙일 수 있도록 하는 매개체는 바로 인간의 영혼이 아닐까. 왜냐하면 한 인간의 영혼을 사로잡으면 그 인간 전체를 사로잡은 것과 같기 때문이다.

복음을 전파함에 있어 교리서나 성경에 있는 내용을 주입하는 것을 넘어서, 복음을 전하는 사람들이 스스로의 삶을 통해 주위 사람들의 영혼을 건드려 움직이게 하고 감동하게만 할 수 있다면 이보다 더 완벽하고 발 빠른 복음화가 또 있을까 싶다.

우리가 관할하는 본당에선 한 해에 사오백 명 정도가 세례를 받는다. 주일 미사에 참여하는 숫자도 많이 늘어 주일에 한 번 드리던 미사를 두 번으로 늘렸음에도 매번 성당이 발 디딜 틈 없이 가득 메워진다. 2년 전 남북 간 평화 협정 덕에 피난차 마을을 떠났던 사람들이 많이 돌아오고 있기 때문이기도 하지만 무시하지 못할 다른 이유들도 있다.

전쟁 중에도 자기들 곁을 떠나지 않고 고통과 아픔을 함께 나눈 선교사들에 대해 그들이 가진 좋은 이미지가 그 이유 중 하나가 아닐까 생각된다. 이런 것을 보면 내 주위의 이웃을 위해 드러나지 않게 행하는 작은 희생과 봉사가 이웃들에게 예수님의 모습을 보다 더 쉽게 느끼게 한다는 것을 깨닫게 된다. 그리하여 그 영혼들이 마음의 문을 그리스도에게로 활짝 열게 하는 복음화의 중요한 밑거름 역할을 하는 게 아닌가 생각된다.

요즘은 주일 미사에서 병원 진료실과 입원실에서 만났던 많은 사람들을 볼 수 있어 좋다. 특히 삶과 죽음의 갈림길에서 만났던 적지 않은 사람들이 완치된 후 신실한 신앙인으로 변화되어 주일은 물론 평일 미사에도 자주 참석하는 모습을 보면 보람을

마을 주민들이 손수 지은 마펠 공소에서의 미사.

눈빛과 미소가 순수한 소년 요한. 사진 촬영 당시 열두 살 정도였다.

느끼기도 한다.

악성 말라리아로 혼수상태에 빠져 죽어 가던 치콤과 그의 가족들, 남산만큼 부른 배에서 결핵성 고름이 몇 년씩이나 흘러나와 가족들마저 거의 포기했던 꼬마아이 꼰과 그 부모, 뇌막염으로 고열과 혼수상태에 빠져 새벽 두 시에 병원으로 실려 온 아얀, 자연 유산으로 엄청나게 하혈을 해 백인처럼 하얀 얼굴로 병원에 실려 왔던 아순타, 그리고 콜레라가 창궐할 때 탈수로 인해 기진맥진한 채 살려 달라며 고함치던 많은 사람들. 이들을 성당에서

공소에서의 고해성사.

만나면 반갑기 그지없다. 더욱이 미사 중에 이들과 눈이라도 마주치면 마치 영혼이 교감하듯 강한 전류 같은 것이 흐르는 것을 느낄 수 있다. 그 눈 마주침에는 이들의 아픈 사연들이 깃들어 있고 받은 은혜에 대한 감사와 영원한 미래에 대한 희망도 얹혀 있으며 십자가의 신비에 대한 깊은 이해도 들어 있음을 느낄 수 있기 때문이다.

병원에 성모 상도 십자고상도 없고 환자들에게 성당 나오라고, 예수 믿으라고 권유한 적도 없는데 스스로들 어떻게 예수님을 만났는지 너무나도 열심이다. 이들이 말없이 변화되는 모습들을 보면서 그리스도인의 언어는 말이 아니라 행동이 아닌가 하는 생각을 해 본다. 멋진 말로 사람들을 감동시킬 순 있어도 영혼을 감동시키거나 변화시키기엔 턱없이 부족하다. 영혼을 감동시키거나 변화시킬 수 있는 것은 오직 두 영혼의 진실한 만남을 통해서만이 가능하리라 생각된다. 상대방의 영혼이 우리의 진실한 삶을 통해서, 우리의 진실한 눈빛을 통해서 예수님을 느끼거나 예수님의 모습을 보게 되고 그것으로 인해 그들의 영혼에 작은 변화의 물결이 일기 시작하기 때문이다.

우리 그리스도인들은 영혼의 전문가가 되어야 한다. 스쳐 지나는 사람들의 영혼에도 무언가를 남기고 그 영혼을 움직이게 할 수 있는 그런 능력의 소유자 말이다. 우리가 영혼으로 이야기하고, 영혼에게 이야기할 때 그것은 충분히 가능한 일이라 생각된다. 사람들을 만날 때 우리가 만나는 것은 그 사람의 육체가 아니라 하느님이 창조한, 그리고 하느님의 모습을 닮은 아름다운 영혼, 썩어 없어지는 육체가 아닌 영원히 남아 영생을 누릴 고귀한 영혼을 만나는 것이라는 것을 잊지 않는다면 그런 전문가가 되는 일이 그렇게 어려운 것은 아니리라.

세상을 46년 동안이나 살면서 나와 너의 만남은 영혼과 영혼이 만나는 엄숙한 순간이라는 것을 왜 깨닫지 못했나 싶어 아쉬울 따름이다. 우리가 매일 수도 없이 가지는 만남들, 영혼과 영혼이 만나는 엄숙한 순간들이기에 큰 잔치를 벌여도 부족할 판인데 왜 그렇게 과장하고 미워하고 시기하고 비방하여 가치 없는 순간으로 전락시켜 버리게 되는지 정말 모를 일이다.

만나는 모든 사람들을 최선을 다해서 만나고 최선을 다해서 대화하고 최선을 다해서 사랑하다 보면 언젠가는 우리도 영혼의 전문가가 될 수 있지 않을까.

도사는 무슨 도사?

올해는 비가 많이 내려 수확이 많을 것 같다며 다들 좋아하고 있다. 하지만 많은 비 덕택에 말라리아도 유난히 극성이다. 환자 수도 예년에 비해 두세 배 정도 더 많고 증상도 심상치 않다. 고열과 함께 심한 발작을 일으키는 경우도 많아 야간에 응급으로 찾아오는 환자들도 하루에 두세 건은 된다. 그래도 하루 이틀 안에 병원에 찾아오기만 하면 완치될 확률이 거의 백 퍼센트이건만 거리가 멀거나 아니면 무당을 찾아가거나 그것도 아니면 이것저것 민간요법을 시도하다 뒤늦게 찾아오는 사람들도 있어 안타까울 때가 많다.

여기선 환자들의 팔구십 퍼센트가 말라리아 환자이기에 말라리아에 대해서만 잘 알아도 명의가 될 수 있다. 말라리아의 종류는 균에 따라 네 가지로 분류되지만 처음 세 종류는 증상과 예후가 경미하여 생명에 큰 위협을 주지 않는다. 하지만 마지막 종류인 '팔시파룸' 이라는 놈은 눈에도 보이지 않는 작은 것이 골리앗의 급소만 공격하는 아주 악질이다.

이렇게 몇 종류 되지 않는 말라리아이지만 걸리는 사람에 따라 증상은 수백 가지가 넘게 다양하다. 경미한 메스꺼움이나 가벼운 근육통과 두통, 목 뒤의 뻐근함을 호소하거나 코피를 흘리는 경우도 있고 심한 구토와 함께 고열을 동반하는 경우도 있으며 때로는 혼자 중얼거리거나 돌아가신 할매, 할배의 혼이 보인다며 마귀 들린 듯이 고함을 치며 구르는 경우도 있다. 심지어는 겁에 질려 숲 속으로 도망가 이삼일을 숨어 지내는 경우도 있다. 흔한 경우는 아니지만 고열과 함께 심한 경련이나 발작을 일으키다 몇 시간 안에 생을 다하는 경우도 있다.

서당 개 3년이면 풍월을 읊듯이 나도 8년 동안을 매일 수십 명의 말라리아 환자를 대하다 보니 박사 정도는 아니지만 반 도사 정도는 되지 않았나 생각된다. 스스로 도사라고 칭하는 것이 좀 뭣하긴 하지만 그래도 그렇게 불리고 싶은 것은 도사라는 명칭이 두꺼운 책을 읽지 않아도 연구실에서 밤을 새우며 연구를 하지 않아도 얻을 수 있는, 어쩐지 서민들과 함께하는, 서민들과 가까이 있는 명칭인 것 같아 친근감이 들어서 좋은 것도 있다.

하지만 실제 이유는 말라리아 진단을 내리고 그 종류를 판별하는 데 피 검사를 이용하기보다는 환자들의 걷는 모습 또는 찡그리는 얼굴 표정이나 눈빛 등을 유심히 살피고 그것으로 진단을 내리려는 나의 비과학적인 진단 방법 때문이다. 원래부터 가지고 있던 습관은 아니고 여기서 처음 진료소를 시작할 때 검사실이 없어 혼자서 증상과 병력으로만 진단을 내리고 치료를 해야 했던 시절에 돌팔이 의사가 써야 했던 유일한 수단이자 최후의 수단이었던 것이 시간이 지나면서 습관이 되어 버린 것이다.

지금도 환자들이 진료실에 들어오면 5초 정도는 환자들이 걷는 모습을 관찰하고 10초 정도는 아무 말 없이 환자들의 눈을 물끄러미 들여다본다. 짧은 순간이긴 하지만 사실은 많은 대화가 오고 가는 진실된 순간이다. 눈은 마음의 창이라 했던가. 진실하지 않은 마음 탓에 진실하지 않은 눈들이 많은 세상이긴 하지만 아픈 곳을 낱낱이 고백하고 싶어 하는 본성을 지닌 환자들이 의사 앞에 앉았을 때 눈이 어찌 진실되지 않을 수 있으랴!

사기꾼이나 강도 또는 살인범들에게도 제일 진실된 순간은 몸이 아파 병원에 가 의사 앞에 앉는 순간이 아닐까 싶다. 그래서

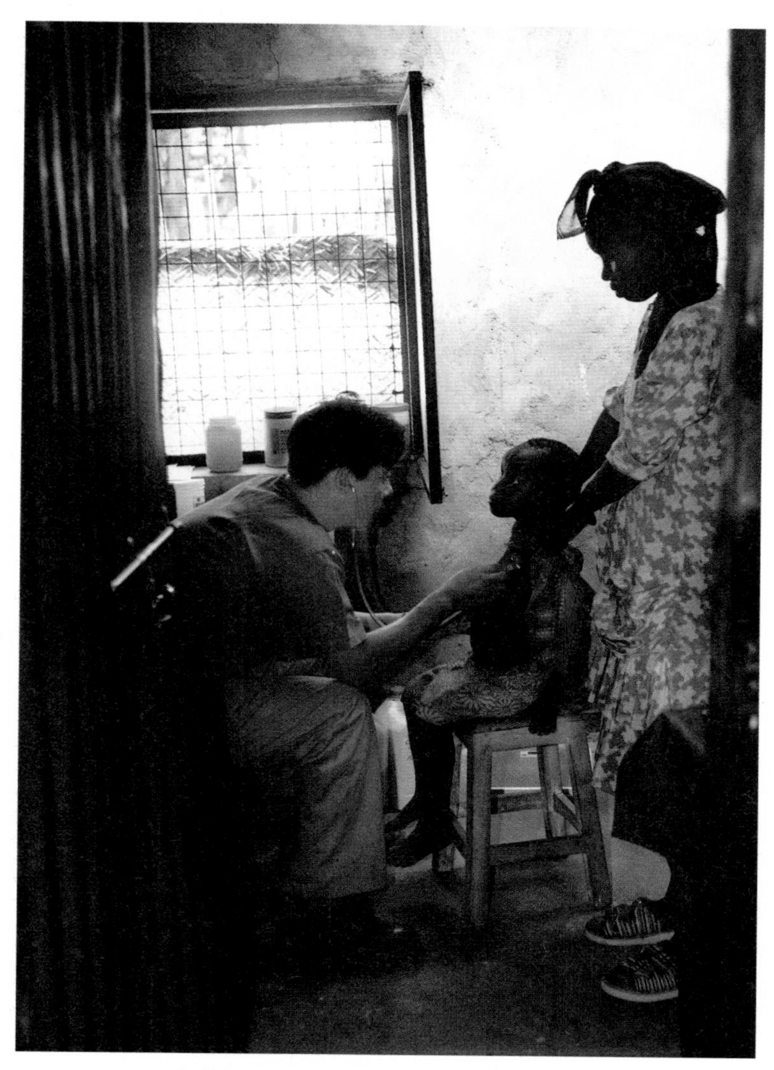

옛 임시 진료소에서 어린이 환자를 진찰하는 이태석 신부.

인지 환자들이 정말 아픈 곳을 눈으로 말하는 것 같은 느낌이 들 때가 많다. 정확히 어디가 아픈지 무엇이 문제인지 머리는 모르고 있지만 눈은 마치 어디가 문제인지를 정확하게 이야기하고 있다는 그런 느낌 말이다. 의사로서 조금 무식해 보이는 방법이긴 하지만 그래도 급할 땐 어떤 검사보다도 더 유용하게 쓰이며 생명까지 구할 수 있는 방법이다.

얼마 전 저녁쯤에 한 할아버지가 의식을 잃은 채 병원으로 실려 왔다. 따라왔던 친구 할아버지에 의하면 길에서 만났는데 아는 척도 하지 않고 그냥 지나가기에 따라가서 왜 그냥 지나가느냐고 따지니 아무런 대꾸도 하지 않고 그냥 돌아서서 가는데 서너 걸음 뗀 후에 푹 쓰러지더라는 것이다. 의식을 잃은 채 눈을 감고 있어 눈을 보진 못했지만 병력과 일그러진 인상을 보아하니 말라리아가 분명하고, 열은 없는 것으로 보아 팔시파룸이란 독한 놈은 아니군 하며 여느 때처럼 마음속으로 벌써 진단을 내리고 있었다.

그래도 모르니 정확한 진단을 내리기 위해 검사를 준비하고 있는 사이에 가족 중 한 명이 달려와 환자가 숨을 쉬지 않는다는 것이었다. 급히 가 보니 진짜 숨이 멎어 있었고 심장도 뛰지 않았다. 가족들은 죽었다며 땅바닥을 뒹굴며 울어 대고 있었다. 응급 상황이었다. 가족들을 다 내보내고 급히 심폐소생술을 시작했다. 심장 마사지와 함께 앰부백으로 공기를 주입하기 시작했다. 3분 정도 지났을까, 다행히도 환자가 "푸우" 하며 숨을 내쉬더니 다시 심장이 뛰기 시작했다. 기적 같았다. 하지만 여전히 의식은 없었고 호흡도 불규칙했다. 심장과 호흡이 언제 다시 정지될지 모르는 상황이었다. 시간이 없었다. 검사를 할 여유도 없는 상황이었다. 처음 혼자 중얼거리며 판단한 그대로 진단을 내리고 치료제인 클로로퀸 주사액을 급하게 주사했다. 그러곤 '주님, 제가 할 일은 다했으니 나머진 알아서 하십시오.' 라고 기도 아닌 기도를 하며 기다리고 있었다. 그러기를 한 시간, 환자의 호흡이 고르게 돌아오더니 "물! 물!" 하며 말을 하기 시작했고 의식을 되찾았다. 그러곤 훨씬 좋아져 다음 날 퇴원했다.

그들에겐 죽은 사람이 다시 살아난 것이니 가족들은 정말 난리가 아니었다. 머리가 땅에 닿도록 고맙다며 인사를 했다. 사람의 눈이나 표정을 이용하여 진단하는 방법이 과학적이지 못한 면이 있긴 하지만 그래도 계속 그 방법을 사용하는 이유는, 가끔이지만 이렇게 돌팔이를 명의로 만들어 주는 매력 때문이기도 하고, 무엇보다도 사람들의 눈을 통해서 때로는 하느님의 체취 같은 어떤 것을 느낄 수 있다는 나의 생각 때문이기도 하다.

여기 수단은 한국에선 볼 수 없는 정말 아름다운 것 두 가지가 있는데, 그중의 하나는 너무도 많아 금방 쏟아져 내릴 것 같은 밤하늘의 무수한 별들이고 다른 하나는 손만 대면 금방 톡 하고 터질 것 같은 투명하고 순수한 이곳 아이들의 눈망울이다. 아이들의 눈망울을 보고 있으면 너무 커서 왠지 슬퍼지기도 하지만 너무 아름다운 것을 볼 때 흘러나오는 감탄사 같은 것이 마음속에서 연발됨을 느낄 수가 있다. 왜냐하면 그 크고 아름다운 눈을 통해서 인간은 하느님의 창조물이라는 것을 느낄 수 있고 이들의 투명한 눈망울 깊은 곳에 하느님이 숨어 계신 것 같은 느낌이 들기 때문이다.

하느님께서 인간을 당신의 모습과 비슷하게 창조하셨다는데 인간의 육체 중에 하느님과 가장 비슷하게 닮은 부분이 있다면 그것은 바로 인간의 눈이 아닐까 생각된다. 맑고 깨끗한 눈을 보면 그 사람이 순수한 사람이라는 것을 알 수 있고 그 투명함 때문에 투명함 너머에 계시는 하느님의 흔적까지도 볼 수 있는 것도 바로 이런 이유 때문이 아닌가 싶다. 맑고 투명해야 할 우리의 눈이 시기나 질투, 물욕, 욕정 등으로 인해 꽉 막혀 버려 그것이 장

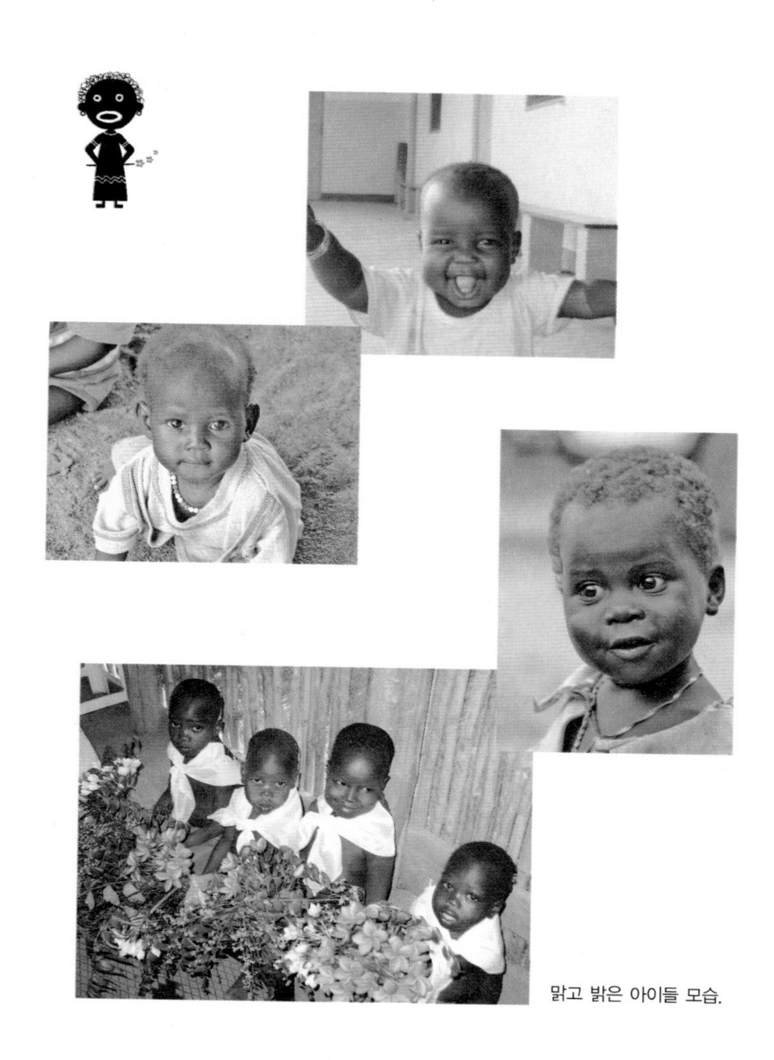

맑고 밝은 아이들 모습.

애가 되어 우리 안에 계시는 하느님의 흔적을 다른 사람들이 보지 못한다면 그것은 바로 우리 자신들이 책임져야 할 또 하나의 죄가 아닌가 생각된다. 우리 자신을 위해서는 물론이고 타인들을 위해서도 우리의 눈을 맑고 투명한 눈으로 가꾸려 노력해야 되지 않을까 싶다. 쌍꺼풀 수술, 눈썹 문신 등으로는 턱도 없는 일이고 오직 좋은 생각과 긍정적인 생각을 통해서 남을 이해하려 하고 타인의 단점보다 장점을 찾으려 노력할 때 가능하지 않나 생각된다.

그러나저러나 난 말라리아 도사는 아닌 모양이다. 사실은 팔시파룸 말라리아에 걸려 이틀을 고생하다 조금 나아져 이 글을 쓰고 있으니 제 병도 하나 못 고치는 의사가 도사는 무슨 도사람…….

친구가 되어 주실래요?

수단에 오기 전까진 성모님에 대한 남다른 신심도 없었고 특별히 성모님께 도움을 청하거나 전구를 부탁한 적도 그렇게 흔치 않았다. 그런데 이곳에서 지내다 보니 나 자신이 조금씩 그분과 좀 더 가까워지고 있음을 느끼게 되면서 그분이 늘 옆에 계신 친구 같고 엄마 같다는 것을 느낄 수 있게 되었다.

완전히 짐을 싸서 수단으로 오기 2년 전인 1999년 8월에 이곳 수단을 우연히 열흘간 방문한 적이 있었다. 그때 입구에서 나를 맞이해 주시던 성모님, 나환자들이 쓰던 집을 고쳐 만든 허름한 수도원 입구 베란다 지붕 위에 계셨던 목각 성모님의 모습을 지금도 잊을 수가 없다. 전쟁 중에 어느 한 아랍인으로부터 수백 탄의 총알을 맞아 차마 눈 뜨고는 볼 수 없는 처참한 모습의 성모 상이었다.

대충의 윤곽은 남아 있었지만 전체의 형태는 알아볼 수가 없었다. 그 성모 상의 모습을 보면 정확한 이유는 모르지만 성모님이 그 무언가 때문에 계속 고통스러워하신다는 것을 확실히 느낄 수가 있었다. 하지만 고통 중에서도 계속 우리를 위해 기도해 주신다는 것을 보여 주기라도 하듯 가지런히 합장한 아름다운 두 손의 슬픈 윤곽은 아직도 기억 속에 뚜렷이 남아 있다. 너무 많이 부서져 결국 땅에 묻었지만 그 목각 상은 계속해서 전쟁을 일으키는 '세상 악'의 회개를 위한 성모님의 '피눈물의 기도'에 대한 의미를 직관적으로 느끼게 해 주었다.

이곳의 내전 중에 많은 이들을 괴롭히던 '안티놉'이라는 놈이 있었다. 안티놉은 제2차 세계대전 때 쓰이던 소련제 비행기인데 전쟁 중에 잊을 만하면 이 마을 저 마을로 찾아가 폭탄을 떨어뜨려 많은 인명 피해를 냈던 장본인이다. 굉장한 소음을 내는 그 비행기의 묵직한 금속음이 주는 공포는 겪어 보지 않은 사람은 모른다.

몇십 킬로미터 떨어진 먼 곳에서부터 그 소리가 들리기 시작해서 점점 가까이 다가와 사람들의 피를 말려 버린다. 일단 이놈의 소리가 들리기 시작하면 시간이 정지된 것처럼 모든 사람들은 하던 것을 멈추기 때문에 마을은 쥐 죽은 듯 조용해지며 사람들의 쫑긋해진 귀는 그놈이 움직이는 곳으로 함께 따라 움직인다. 폭풍 전야와 같은 무시무시한 고요함이 마을 전체를 휘감는다. 그러다 비행기가 그냥 지나쳐 가 버리면 다행이지만 '철커덕' 하는 소리와 함께 그놈이 다시 방향을 틀어 되돌아오는 날에는 온 마을은 아비규환이 된다.

여인들과 아이들의 공포에 질린 비명 소리, 울음 소리와 함께 모든 사람들은 뒤도 돌아보지 않고 숲 속을 향해 무조건 달려야 하고 폭탄이 떨어져 폭발하는 소리만을 들으며 꼼짝하지 않고 땅바닥에 엎드려 있어야 한다. 이놈 때문에 많은 사람들이 그들의 형제자매나 자식들 또는 부모를 잃었기에 그놈의 소리를 소름 끼치도록 싫어하고 그와 비슷한 일반 비행기 소리만 들려도 안절부절못하며 몹시 불안해하는 노이로제 증상을 보이기도 한다. 비행기 소리가 날 때마다 이곳 사람들 속에 잠재해 있는 죽음에 대한 공포가 다시 살아나기 때문이다.

이런 극한 상황에서의 공포는 인간에게 심각한 충격을 주어 예상 밖의 이상한 행동을 유발하는 경우가 자주 있다. 토마스라는 한 인도 신부님은 자기가 있던 곳에서 10미터 정도의 가까운

거리에 떨어졌던 폭탄의 충격으로 비행기 소리만 나면 스스로는 도저히 조절할 수 없는 극도의 공포에 시달리게 되어 사목을 못한 채 결국은 다시 케냐로 돌아가고 말았다.

이곳 사람들의 이런 엄청난 아픔을 위로라도 하듯 '도움이신 마리아'의 도움이 역사한 사건이 이곳 톤즈에서 일어났다. 2001년 5월 24일 도움이신 마리아 대축일이었다. 그해 처음으로 준비한 성모 상의 행렬이 있었던 날이었다. 모든 신자들은 아름다운 들꽃으로 장식된 성모 마리아 상을 모시고 마을을 한 바퀴 돌며 행렬을 벌이고 있었다.

행렬이 정확히 마을 중심부에 다다랐을 때 그 무시무시한 안티놉의 소리가 들리기 시작했다. 그 순간 즉시 행렬은 정지되었고 모든 사람들은 약속이라도 한 듯 걸음을 멈추고 그놈의 소리를 따라가고 있었다. 마을을 그냥 지나가는 듯하던 그놈이 '철커덕' 소리를 내며 방향을 틀어 다시 마을 쪽으로 돌아왔다. 특별한 상황이었다. 그들은 여느 때처럼 고함을 지르며 숲 속으로 도망을 쳐야 마땅했건만 그날은 그럴 수가 없었다. 성모 상을 내팽개치고 도망갈 수는 없었기 때문이다. 사람들은 성상을 모시고 마을의 신작로 양쪽으로 갈라져 그냥 땅바닥에 엎드리기 시작했다.

물론 성모 상은 엎드릴 수가 없었다. 아니 엎드리지 않고 당당히 서서 이 사람들의 아픔을 바라보며 어떻게 도와줄 수 있을까 하고 고민했는지도 모른다.

그날 무려 열네 개의 폭탄이 떨어졌다. 그런데 이상하게도 마을 중심부로 떨어지던 폭탄들이 마치 강한 바람에 날리듯이 이상한 힘에 의해 마을 바깥쪽으로 밀려 모두 숲 속으로만 떨어졌던 것이다. 이 신비스러운 광경을 목격한 모든 사람들은 그것은 분명히 도움이신 마리아께서 행하신 기적이었다는 것을 믿을 수밖에 없었고 땅바닥에서 일어나 기쁨과 감사의 눈물로 행렬을 계속했다. 그것이 계기가 되어 매년 5월 24일 도움이신 마리아 축제 행렬이 마을 전체의 큰 행사가 되어 버렸다.

이곳에서 지내다 보면 고통 받는 이들에 대한 성모님의 관심과 사랑이 얼마나 특별한지를 저절로 알 수 있게 된다. 이제는 성모님을 빼놓고는 수단을 이야기할 수가 없게 되었다. 이곳의 어려움과 이곳 사람들의 가난과 고통이 성모님께서 이곳을 더더욱 사랑하시고 도와주시는 이유라는 것을 알기 때문이다. 성모님의 사랑을 알기라도 하듯 매일 저녁 6시경 오라토리오의 놀이가 끝나면 어김없이 망고나무 밑으로 100여 명의 아이들이 모여든다. 묵주기도를 함께 바치기 위해서다. 아름다운 석양의 붉은빛과 함

도움이신 마리아 축제 행렬.

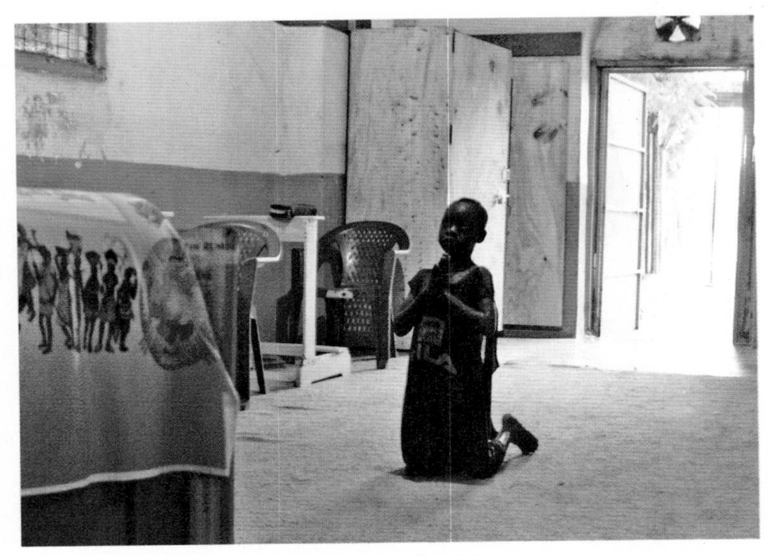

성당에서 기도하는 아이.

께 망고나무 가지에 놓인 작은 성모 상을 바라보며 묵주기도를 바치는 우리의 모습이 '세상의 악' 때문에 받는 성모님의 고통에 조그마한 위로가 될 수 있으면 좋겠다는 생각이 든다.

이제 와 돌이켜 보니 내 삶의 중요한 순간순간에도 성모님의 드러나지 않았던 많은 도움들이 나에게 얼마나 큰 위로와 힘이 되었는지를 느낄 수 있게 되었다. 20여 년 전 군의관 생활을 마친

도움이신 마리아 축제 행렬이 끝난 후, 망고나무 아래서 다음 전례가 진행되고 있다.

후 사제가 되기로 결심했을 때, 의사를 만들기 위해 밤 늦게까지 바느질을 해 가며 희생으로 뒷바라지하신 홀어머니께 조그마한 보답도 하지 못한 채 '이제 신부가 되겠노라.' 고 말씀드리기가 너무 미안해 망설이고 있을 때도 그랬고, 그것도 모자라 폭탄이 떨어지는 전쟁 중인 나라 수단으로 가겠다는 말을 어머니에게 차마 꺼낼 수가 없어 망설이고 있을 때도 성모님은 너무나도 오묘하신 방법으로 모든 것을 쉽게 해결해 주셨다. 지난날 나 자신이 이곳 남부 수단으로 오기로 결정했다고 생각했지만 지금 생각해 보면 나를 이곳으로 불러 주신 분은 바로 성모님이 아닌가 하는 생각이 든다.

하느님의 어머니이신 성모님을 '친구처럼 엄마처럼 편한 성모님' 이라고 부른다면 건방지다고 나무라실까? 나무라셔도 좋다. 조용히 뒤에서 계속 지켜봐 주시며 청하기도 전에 무엇이 필요한지를 알고 도와주시는 어머니, 그것도 혹시 드러나게 될까 싶어 조심조심 도와주시는 배려 깊고 자상한 어머님의 모습으로 다가오시는 성모님이 정말 친구처럼 편하게 느껴지는 게 사실인데 어떡하겠는가? 그러나 정말 편한 친구는 될 수 없는 분이신가 보다. 당신 '피눈물의 고통' 은 뒤로 숨긴 채, 그토록 우리를 도와주신다고 생각하면 짠한 마음이 가시지 않으니 말이다.

아주 특별한 여행

여행을 할 기회도 많은 편이고 또 유난히 여행을 좋아하는 편이다. 여러 곳에서 다양한 방식대로 살아가는 여러 형태의 사람들 모습을 보는 것이 무척이나 재미있기 때문이다. 이곳에서 일주일에 한두 번, 지프를 타고 이동 진료나 미사를 위해 멀리 떨어진 공소를 방문하는 것도 꽤나 즐거운 미니 여행이다. 2미터가 넘게 자란 풀 때문에 길이 보이지 않아 대충 감으로 운전을 해야 하는 경우도 있고 도끼와 낫으로 나무를 자르고 풀을 베어 가며 길을 만들면서 가야 하는 경우도 있다. 어떨 땐 노루나 원숭이 등의 야생 동물들이 나타나 무료 사파리를 즐기기도 한다. 하지만 뭐니뭐니 해도 밴드부 아이들과 함께하는 특별한 음악 여행은 돈 주고도 살 수 없는 짜릿하고 신나는 여행이다.

몇 년 전 로마에서 한 추기경님이 교구 설정 50주년 행사와 이탈리아 정부에서 시공한 '철제 다리 축성식'을 위해 이곳 룸벡 교구를 방문한 적이 있었는데 우리 브라스밴드부가 그곳에 초대되었다. 그래서 행사 하루 전날, 5톤짜리 트럭을 타고 120킬로미터나 떨어진 룸벡으로 가야 했다. 트럭 뒤칸에 악기와 서른다섯 명의 아이들을 실어 놓으니 말 그대로 콩나물시루였다. 길이 험해 시속 15-20킬로미터 정도밖에 속도를 내지 못해 여덟 시간이나 걸리는 긴 여행이었지만 머리와 눈썹에 밀가루처럼 뽀얀 먼지를 뒤집어써 우스운 모습을 하고서도 아이들은 뭐가 그리 좋은지 재잘대거나 노래를 부르곤 했다. 그들의 삶과 비슷한 여덟 시간의 트럭 여행을 나름대로 즐기고 있었다.

룸벡에 도착한 다음 날은 아침 식사도 제대로 하지 못한 채 새벽부터 유니폼을 차려입고 악기를 준비해 공항(말이 공항이지 흙 길의 활주로가 있는 곳이다)으로 향했고 환영 행사가 끝나자마자 교구 설정 행사가 있는 성당 앞마당으로 서둘러 가야 했다. 팡파르를 울리기 위해 항상 주요 인물들보다 먼저 도착해야 하니 물 한 모금 마실 시간도 없이 빠듯했다. 행사는 12시쯤에 끝났지만 그곳에서 다시 90킬로미터 떨어진 곳에 있는 완공된 다리 축성

브라스밴드부 단원들.

식에 가기 위해 점심도 먹지 못한 채 다시 트럭을 타고 움직여야 했다.

아이들이 배가 고프다고 투정을 부렸지만 중간에 휴게소가 있는 것도 아니고 식당이 있는 것도 아니어서 어떻게 할 수가 없었다. 결국 하루 종일 굶은 채 그렇지 않아도 힘든 관악기들을 온종일 불어 대야 했다. 다리 축성식에서 돌아올 땐 모두가 초주검이 되어 있었다. 아이들에게 너무도 미안해 시원한 콜라 한 병씩을 사 주기로 하고 룸벡에 돌아오자마자 트럭을 타고 레스토랑이 있는 곳으로 향했다. 냉장고가 있어 외국인들만 갈 수 있고 콜라 한 병에 오천 원씩이나 하는 최고급 레스토랑이었다.

대부분의 아이들에겐 생전 처음 보는 콜라. 냉장된 차디찬 콜라는 더더욱 처음이었기에 너무 좋아 어쩔 줄 몰라 했다. 생전 차가운 것을 만져 본 적이 없는 아이들이라 병을 맨손으로 잡지 못해 휴지로 싸서 잡고 마시는데 톡톡 쏘는 탄산가스가 코에 부딪혀 마시는 데 시간이 꽤 걸렸다. 콜라 한 병으로 아이들은 너무나도 행복해했다. 콜라를 마신 뒤 식당의 외국인 손님들에게 "우리가 어디서 왔고 무엇 때문에 왔으며 원하면 즉석 연주도 할 수 있다."라고 소개를 하니 박수를 치며 환영했고 아프리카의 사막 한가운데서 만난 그럴싸한 밴드 복장의 흑인 아이들이 너무나도 신기했는지 카메라와 비디오를 챙겨들고 많은 사람들이 주위로 모여들었다.

연주가 생각보다 수준이 높았는지 많은 사람들이 감동을 하며 입을 다물지 못했고, 한 사람이 일어나 내가 쓰고 있던 모자를 벗겨 그 안에 지폐 한 장을 담은 후 다른 사람들에게도 모자를 돌리기 시작했다. 한순간에 계획에도 없던 길거리 집시 음악회가 되어 버렸다. 생각보다 짭짤한 수입이었고 주인도 즐거웠던지 콜라 값을 받지 않았다. 육체적으로 힘든 여행이었지만 나는 물론 아이들에게도 평생 잊지 못할 소중한 추억이 되었다.

지난달에는 톤즈에서 200킬로미터 떨어진 '쿠와족' 이라는 곳에 남 수단 대통령이 방문을 하였는데 그곳에도 초대를 받아 가게 되었다. 우리나라에서는 두 시간이면 충분할 거리이지만, 아침 6시에 출발해 저녁 7시에 도착했으니 장장 열세 시간이 걸린 험한 길이었다. 그렇게 오래 걸린 것은 범람한 강물에 잠긴 다리 때문이었다. 강물이 빠지기를 서너 시간 기다려 보았지만 빠지기는커녕 폭우까지 내리기 시작했다. 급한 마음에 트럭에 탄 채 물을 건너 보려 시도했지만 차가 진흙 속에 빠지고 말았다. 다음 날 아침 일찍 시작되는 행사를 위해 무슨 수를 써서라도 그날 밤까진 도착을 해야 했기에 마음이 조급해지기 시작했다. 그래서 결

진료 대기소에서 한창 연습 중인 브라스밴드부 단원들.

지휘하는 이태석 신부(맨 위)와 정복을 차려입은 브라스밴드부(바로 위).

정을 내렸다. 모든 것을 트럭에서 내려 머리 위에 이고 강물을 건너기로. 정말 장관이었다. 30여 명의 아이들이 입에 신발을 문 채 작은 북, 큰 북, 트럼펫, 색소폰, 플루트, 클라리넷 등의 악기와 개인 짐들을 머리 위에 이고 허리춤까지 오는 강물을 일렬로 건넜다. 마침 운 좋게도 강 건너편에 다른 트럭이 있어 그걸 타고 목적지까지 도착할 수 있었다.

다음 날 아침 일찍 행사장에 도착하니 벌써 10만 명은 족히 되는 많은 사람들이 모여 있었다. 우리 아이들이 트럭에서 내리자 모든 시선들이 일제히 우리 아이들에게로 향했다. 빨간색 모자에 금색 실자락이 철렁거리는, 내가 봐도 정말 화려한 원색의 유니폼과 눈부시게 반짝이는 금빛 악기들은 이런 것들을 처음 보는 사람들로 하여금 넋을 잃게 하기에 충분했다.

대통령을 보기 위해 나온 많은 사람들이 우리 브라스밴드를 보고는 그 주위를 둘러싼 채 좀처럼 떠나려 하지 않았다. 대통령이 도착해도 아니 대통령이 그곳을 떠날 때조차도 대통령은 안중에 없고 그들의 시선은 밴드에서 떠나지 않았다. 오직 그들은 음악을 연주하는 우리 아이들의 일거수일투족에만 관심이 있었다. 나중에 들은 이야기이지만 우리 밴드 아이들 때문에 그곳 아이들이 두 패로 갈라져 다투기까지 했단다. 한 패는 "아니다. 유니폼을 입고 멋들어지게 연주하는 아이들은 분명 수단의 수도인 카르툼에서 온 아이들이다." 하고 우기고, 다른 한 패는 "아니다, 미국에서 온 아이들이 아니고는 저럴 수가 없다."라며 우겨 대다 결국엔 두 명의 대표를 보내 직접 우리 아이들에게 어디서 왔는지 물어보기까지 하더라는 것이다. 우리 아이들은 그들의 어처구니없는 다툼에 조금 우쭐해지기도 했지만 너무 재미있어 땅을 뒹굴며 웃어 댔다.

체중이 4-5킬로그램이나 빠지는 힘든 여정이었지만 아이들과 함께한 여행이었고 주님께서 함께하심을 느낄 수 있었던 여행이었기에 그 무엇과도 바꿀 수 없는 값진 체험이 되었다.

"청소년들과 함께하는 삶의 여정은 맨발로 장미 덩굴을 걷는 것과 같다."는 돈 보스코 성인의 말이 떠오른다. 청소년들과 함께 춤추고 노래하며 사는 삶은 겉으로 보기엔 장미꽃과 같은 화려한 삶처럼 보인다. 그러나 장미꽃에 감추어진 가시들처럼 항상 따르는 크고 작은 많은 어려움과 아픔을 그들과 함께 받아들일 준비가 되어 있지 않으면, 또 그에 필요한 인내심이 있지 않으면 그들과 함께할 수 없다는 것을 많이 느낀다. 하지만 가시들 때문에 생긴 발바닥의 굳은살 덕에 미래의 험난한 정글을 그들과 함께 쉽게 헤쳐 나갈 수 있기에 가시처럼 많은 어려움 또한 감사할 수 있게 된다.

우리의 삶도 하나의 여행이 아닌가 생각된다. 아스팔트와 같은 평탄한 길도 있지만 때로는 요철이 많은 흙 길도 있다. 때론 산을 건너야 하고 때론 맨발로 강물도 건너야 하기에 쉽지 않은

여행이지만, 혼자만의 여행이 아니기에 어려울 때 서로 의지하고 넘어질 때 서로 일으켜 줄 수 있는 '누군가'와 함께하는 여행이기에, 더욱이 항상 함께해 주시겠다고 약속하신 예수님이 계시기에 즐거운 여행이 될 수 있지 않을까 하는 생각이 든다.

우기 때의 톤즈 강.

기브 미 어 펜!

10년 전 여름 방학을 이용해 열흘간 이곳 수단에 온 적이 있다. 말로만 듣던 것보다 훨씬 심각한 상황이었다. 초를 다투는 응급 상황이었다. 먹질 못해 뼈만 앙상히 남은 사람들, 손가락 발가락 없이 지팡이를 짚고 돌아다니는 나환자들, 삐쩍 마른 엄마 젖을 빨다 결국 지쳐 울어 대는 아기들……. 이러한 현실이 세상에 존재한다는 것조차 모른 채 너무 쉽게만 살아왔던 것에 대한 죄책감마저 들었다. 무엇보다도 마음을 더 아프게 한 것은 다닐 학교가 없어 하루 종일 나무 밑에 앉아 그냥 시간을 때우던 아이들의 모습이었다. 우리 어려웠던 시절에는 가난했지만 젊은이들의 미래가 있었기에 희망을 잃지 않았던 모습과는 달리 그들의 모습에선 전혀 미래나 희망을 찾아볼 수가 없었다.

미래가 보이지 않는 현재의 모습은 무서움마저 들게 했다. 그때 막 이곳에서 선교를 시작했던 제임스 신부님도 "교육은 이곳 사람들을 구원할 수 있는 유일한 길인 것 같다."며 급한 대로 70여 명의 학생을 데리고 나무 그늘 밑에서 학교를 시작했다. 최고 학년이 초등학교 3학년에 불과했지만 학생들의 평균 나이는 열여덟 살 정도였다. 일 년 뒤엔 대나무와 흙으로 작은 움막들을 만들어 교실로 쓰기 시작했는데, 책상은 없었지만 Y자 형태의 두 개 나무 사이에 얹은 긴 통나무 의자가 제법 교실다운 분위기를 자아냈다.

처음으로 수업이라는 것을 받아 보는 아이들의 눈은 설렘과 호기심에 유난히도 반짝거렸다. 교과서는 물론이고 공책이 부족해 흙바닥에 나뭇가지나 손가락으로 영어 단어를 쓰거나 수학 문제를 푸는 아이들을 보며 다 쓰지도 않은 멀쩡한 문구류들을 마구 버리는 우리의 지나친 소비문화가 분명히 '죄'라는 것을 느끼지 않을 수 없었다.

몇 년 전 보름달이 너무나 아름다워 마을로 산책을 나간 적이 있었다. 집 밖에 나와 있던 많은 아이들이 인사를 해 왔는데 대부

교실(옛 학교)에서 시험을 치르고 있는 학생들.

분교 아이들의 수업 시간.

분의 아이들이 공책이나 책을 무릎에 펴 놓고 그것들을 읽고 있었다. 전기가 없어 집 안에선 공부를 하지 못하고 달빛을 이용해 공부를 하고 있었던 것이다. 달빛으로도 책을 읽을 수 있다는 것을 그때야 알았다. '형설지공'이란 말을 방불케 하는 학구열이 대단한 아이들, 배도 고프지만 그보다도 공부를 더 고파하는 정말 기특한 아이들을 보며 다른 것은 몰라도 그들이 하고 싶어 하는 공부만큼은 최선을 다해 여건을 마련해 주리라 속으로 다짐했다.

그 후로는 전등이 세 개 달려 있는 간이 성당을 밤에 자습실로 쓰도록 했고 병원의 환자 대기실에도 전등을 달아 야간 학습실로 쓰기 시작했는데 매일 밤 많은 아이들이 공부할 것을 들고 찾아왔다. 야간 자습을 무엇보다도 싫어하는 한국의 아이들이 정상인지 공부할 시간을 늘려 달라고 졸라 대는 이곳 아이들이 정상인지 헷갈릴 때가 있다.

처음엔 태양열을 이용한 전기라 용량이 부족해 밤 9시까지만 공부를 하게 했는데 30분만 더 늘려 달라고 졸라 대는 통에 전동기를 돌려 가며 9시 반까지 공부 시간을 늘렸다. 몇 달이 지나자 그것도 부족해 "30분만 더요!" 하며 졸라 대는 아이들의 등쌀에 못 이겨 '공부하라고 애원을 해도 하지 않는 아이들도 있는데, 그

성당 안 야간 자습 시간.

래! 하고 싶은 공부 실컷 한번 해 봐라!' 는 심정으로 결국은 밤 11시까지 공부 시간을 늘려 놓았다. 자습을 시작할 때 다 같이 주님의 기도를 바치고 끝날 때도 누가 시키지 않아도 함께 일어나 성모송으로 마무리하는 이곳 아이들을 보면 얼마나 기특하고 예쁜지 모른다.

3년 전에 고등학교를 시작했는데 이전까지만 해도 고등학교가 없어 많은 아이들이 불편을 겪었다. 중학교를 마치고 공부를 계속 하고 싶은 아이들은 근처에 고등학교가 없어 120킬로미터 떨어진 다른 도시로 유학을 가야 했다. 없는 살림에 새로운 곳에서 스스로 먹고 자는 것을 해결하는 것이 보통 큰일이 아니었기에 많은 아이들이 중학교를 마치면 그렇게 하고 싶어 하는 공부를 할 수 없이 포기해야 했다. 정말 가슴 아픈 일이었다.

형편이 그래도 조금 괜찮아 유학을 갔던 아이들도 학교의 낮은 질 때문에 중도에 포기하고 되돌아오는 경우가 많았다. 선생님 수도 충분치 않고 그나마 있는 선생님들마저 적은 월급 때문에 학교에 제대로 나오질 않아 정해진 시간표도 없고 학생들은 교사가 올 때까지 기다리다 교사가 오면 하루 한두 시간 정도 수업을 하고 그나마 선생님이 오지 않는 날엔 하루 종일 한 시간의 수업도 하지 못하고 집으로 돌아와야 했다.

이런 가슴 아린 사연들을 알고는 있었지만 고등학교를 시작한다는 것이 그렇게 간단한 일이 아니었기에 꼭 필요한 것인 줄 알면서도 당장 시작하지 못하는 우리의 마음은 더더욱 아팠다. 기도는 들어줄 때까지 끈질기게 해야 한다는 예수님의 가르침 때문인지 아이들은, 제발 고등학교를 열어 달라고 끈질기게 수년간을 졸라 댔다. 고등학교를 시작해 보려 했지만 고등학교를 나무 밑에서 할 수 없는 노릇이고, 부지 걱정, 건물 걱정, 돈 걱정, 선생님 섭외 걱정 등 걸리는 것이 한두 가지가 아니었기에 선뜻 시작할 수가 없었다.

몇 해를 미루고 미루다 '에라 모르겠다! 벌려 놓고 보자! 어떻게든 되겠지!' 라는 똥배짱으로—아니 섭리에 대한 강한 신뢰와 믿음이었을지도 모른다(?)—3년 전 고등학교를 시작해 버렸다. 한국에서 가져온 한 고등학교 재고품 교복을 교복으로 하고 케냐의 나이로비에서 교과서와 교사 세 명을 급히 구해 들어왔다. 시작을 하고 보니 처음엔 보이지도 않던 하느님의 섭리에 대한 윤곽이 여러 사람들의 도움을 통해 조금씩 모습을 드러내고 있음을 느낄 수 있었다.

건물이 없어 초등학교 건물 창고를 교실로 꾸며 고등학교를 시작하던 날, 모르는 사람들에겐 아프리카 조그만 마을의 작은

전쟁으로 벽만 남은 옛 학교 건물(맨 위)과 그 벽을 이용하여 새로 지은 학교와 수업 광경.

고등학교의 초라한 개교식처럼 보였을지 모르지만 우리 선교사들과 이곳 아이들에겐 수년간 함께 꾸어 왔던 소중한 꿈을 이룬 감격스러운 날이었고 마음으로 기쁨의 눈물을 흘리던 벅찬 날이었다.

교사를 구하기가 힘들어 나도 고등학교에서 수학을 가르치고 있는데 가르치는 것이 꽤나 재미있다. 수학을 좋아하는 이유도 있지만 한마디도 놓치지 않으려는 초롱초롱한 아이들의 눈망울과 순수한 아이들의 질문 때문에도 더 그렇고 무엇보다도 나 자신의 삶에 특별한 맛을 내게 하는, 교실에서 만들어지는 나와 아이들 간의 특별한 형태의 끈끈한 우정 때문에도 더 그렇다. '가전제품' '할부 구매' '복리 이자' '소시지' '세금' 등이 무엇인지를 묻는 때묻지 않은 이곳 아이들의 순수한 질문 덕에 가끔씩 타임머신을 타고 과거로 와 있는 착각을 하곤 한다. 야간에 진료실에 앉아 가끔씩 오는 응급 환자를 치료하거나 수학 문제를 들고 들어오는 학생들을 가르치는 것이 하나의 소박한 즐거움이 되어 버렸다.

요즈음은 연합고사를 준비하고 있는 중학교 졸업반 아이들의 부탁으로 매일 밤 환자 대기실의 희미한 전등불 밑에서 수학 과외 수업을 하고 있다.

케냐나 탄자니아를 가면 길거리에서 "기브 미 비스킷!" 또는 "기브 미 머니!"라고 외치며 먹을 것이나 돈을 구걸하는 아이들을 많이 볼 수 있다. 이러한 아이들과는 달리 이곳 수단에선 "기브 미 어 펜!" 하며 연필이나 볼펜을 구걸하는 특이한 아이들을 많이 볼 수 있다. 눈물이 날 정도로 기특한 아이들이다. 이들이 구걸하고 있는 것은 단순하게 볼펜을 사기 위한 돈 '백 원' 이 아니라 생각한다. 이들의 작은 외침은 배움의 권리에 대한 정당한 요구요, 배우고 싶어 하는 아이들에게 어떠한 이유에서이건 교육의 충분한 여건을 마련해 주지 않는 것은 어른들의 명백한 직무 유기라는 것을 보여 주기 위한 작은 외침이 아닌가 생각한다.

요즈음은 '예수님이라면 이곳에 학교를 먼저 지으셨을까, 성당을 먼저 지으셨을까?' 라는 생각을 자주 한다. 아무리 생각해 봐도 학교를 먼저 지으셨을 것 같다. 사랑을 가르치는 성당과도 같은 거룩한 학교, '내 집' 처럼 느껴지게 하는 정이 넘치는 학교, 그런 학교를 말이다.

아홉 살 군인

지금은 형편이 많이 좋아졌지만 몇 년 전만 해도 이곳 군인들의 사정은 말이 아니었다. 아침에 구보를 하는 군인들을 보면 그들이 정말 군인인지 의심이 갈 정도였다. 한 무리 중 두세 명 정도만 군복을 입고 있었고 군화는 말할 것도 없고 슬리퍼도 없이 맨발로 뛰는 군인들이 허다했다. 총도 충분하지 않아 나뭇가지를 엮어서 만든 모형 총을 들고 뛰는 군인들도 적지 않았다. 삐뚤삐뚤한 대열이 길의 폭에 따라 세 줄도 되었다가 다섯 줄도 되었다가 때론 일곱 줄도 되는, 말 그대로 오합지졸이었다. 그럼에도 불구하고 북쪽의 아랍 군인들과 맞서 싸우고 자기들의 영역을 지켜 내는 것을 보면서 남 수단의 부족들은 분명

용맹한 부족들임이 틀림없다고 생각하곤 했다.

지금은 평화 협정 후 석유를 판매한 돈의 일부가 북쪽 정부에서 내려와 어느 정도의 월급을 받을 수가 있지만 이전엔 월급은 고사하고 식량 배급도 변변하지 않아 배고픈 군인들이 민간인들을 약탈하는 경우가 허다했다. 총을 들이대며 먹을 것이나 돈, 심지어는 여자까지 요구하는 자기편 군인들의 폭력에 많은 사람들이 피해를 당하였다. 전쟁 중에 많은 민간인들이 큰 마을에서 살지 않고 그곳에서 조금 벗어난 숲 속에다 집을 짓고 살았던 이유가, 그렇게 하는 것이 아랍인들의 침입에 대한 대비책이기도 했지만 같은 남부 군인들의 약탈에서 벗어나기 위한 해결책이기도 했기 때문이다.

군인들의 무리 중 어린 소년병들도 가끔씩 볼 수 있다. 소년병뿐만 아니라 젊은 군인들 틈에 끼여 훈련을 받는 60세 이상의 노병도 볼 수 있고 여군도 볼 수 있다. 전쟁 중에 모든 세대에서 한 명 이상씩을 정기적으로 의무 징병을 했기 때문이다. 청년이 없는 집에선 할 수 없이 열두세 살 정도의 아이를 보내야 했고 사정이 여의치 않으면 50－60세 이상의 할아버지들을, 그것도 안 되면 딸아이를 보낼 수밖에 없었다. 심지어는 학교에 군인들이 들이닥쳐 공부하고 있는 학생들을 끌고 가는 경우도 있었다.

톤즈를 방문한 어느 외국 주교를 환영하기 위해 모인 군인들.

마뉴알이라는 아이는 이제 갓 열댓 살 정도 된 아이인데 딩카족 어머니와 아랍인 아버지 사이에서 태어나 피부도 하얀 편이고 이목구비도 뚜렷해 영화배우처럼 잘 생긴 아이이다. 하지만 크고 동그란 그의 눈은 보는 사람을 슬프게 한다. 어린아이의 눈에서 말 그대로 살기라는 것이 느껴지기 때문이다.

마뉴알을 처음 만난 것은 2년 전 우리 살레시오 수도회가 운영하는 병원에서였다. 새벽 두 시 정도에 응급 환자가 있다는 연락을 받고 급히 병원으로 가 보니 한 군인이 신음을 하고 있었고 다리에선 많은 피가 흐르고 있었다. 입에선 술 냄새가 진동을 했다. 술 취한 상태에서 다른 군인과 함께 보초를 서다가 동료의 실수로 발사된 총알이 다리를 관통한 것이었다. 피를 많이 흘려 쇼크 직전이라 링거액을 주사한 뒤 혈관을 잡고 상처 부위를 봉합했다.

다음 날 아침 환자의 상태를 체크하기 위해 입원실로 간 나는 환자의 얼굴을 보곤 입을 다물 수가 없었다. 그 군인은 자기보다 훨씬 큰 군복을 입은—아니 군복에 파묻힌이라는 표현이 더 정확한 표현일 것이다—사춘기도 채 되지 않은 듯한 작은 꼬마 군인이었다. 마뉴알은 아버지의 군복을 입고 전쟁놀이를 하고 있는 장난꾸러기 소년으로 착각을 일으키게 할 정도로 어린 소년이었다. 하지만 그 아이의 눈을 보는 순간 그것이 전쟁놀이도 장난도 아닌 기막힌 현실이라는 것을 느낄 수 있었다. 그 아이의 눈은 산전수전 다 겪은 중늙은이의 눈이었고 타인을 무시하는 듯한 거만한 흉악범의 눈과도 같았고 피를 많이 본 살기가 가득한 살벌한 눈이었다. 아이의 눈을 보면 직접 이야기를 듣지 않고도 아이의 삶이 어떠했는지, 어떤 일들을 경험했는지, 얼마나 어려웠는지를 알 수가 있었고, 왠지 모를 무서움마저 들었다.

마뉴알은 두 달 정도 병원에 입원했는데 그 두 달은 그에게 참으로 은혜로운 시간이 아니었나 생각된다. 마뉴알은 묻는 말에만 간단하게 대답을 하고 주위에서 일어나는 일들을 깊은 시선으로 바라보기만 할 뿐 거의 말을 하지 않았다. 병실에 아이가 보이지 않아 찾아나서면 학교 학생들이 잘 보이는 병원 뒤쪽 울타리 근처에서 그를 발견하곤 했다. 그곳에서 마뉴알은, 영어 단어를 크게 외쳐 대며 반복하는 아이들, 운동장에서 마음껏 뛰어노는 아이들을 물끄러미 바라보곤 했다.

오후에 오라토리오에 오는 아이들, 악기 연습을 하러 오는 밴드부 아이들, 그리고 밤에 환자 대기실에 공부하러 오는 학생들을 보며 마뉴알이 많은 생각들을 하고 있다는 것을 느낄 수가 있었다. 그들과 가까이 지내고 싶은 마음도 간절했겠지만 마뉴알은 스스로 자기를 그들과는 너무나 다른 어른이라고 생각했는지, 절대로 울어서도 안 되고 절대로 사소한 것에 표정을 바꾸거나 웃어서는 안 된다고 생각했는지 그저 바라보기만 할 뿐 그들과 가까이하지는 않았다.

하루는 저녁 9시쯤 마뉴알이 목발을 짚고 내가 있는 진료실로 찾아왔다. 말이 어눌해져 있었고 입에선 술 냄새가 났다. 야단을 치고 싶었지만 얼마나 괴로우면 술을 마셨을까 하는 생각에 하는

오라토리오 운동장에서 축구를 하는 학생들.

대로 가만히 내버려 두기로 했다. 의자에 앉혀 놓자 처음엔 소리 없이 닭똥 같은 눈물만 흘리기 시작하더니 나중엔 주체가 안 되는지 서글프게 엉엉 울어 댔다. 한참을 울더니 묻지도 않은 자기 이야기를 하기 시작했다.

아홉 살 때 군대에 끌려갔단다. 믿기 어려운 이야기이지만 그것이 사실이라는 것이 더더욱 마음 아프게 만든다. 자기 몸무게와 비슷한 무거운 총을 들고 훈련을 받았고 행패를 부리는 군인들로부터 욕설을 들어가며 온갖 잔심부름을 다 했단다. 실제 전투에도 참전해 무서워서 눈을 감고 총을 쏘아 댔고 살아남기 위해 도망 다니기도 했으며 적군들을 쏘아 죽이기도 했단다. 상상하기 어려울 정도의 비참한 상황이 그를 아주 강하게 만든 모양이었다. 어떤 어려움이 닥쳐도 절대로 울지 않기로 결심했고 그 뒤론 한 번도 울어 본 적이 없었단다.

이곳 학생들의 생활 모습을 보면서 그들의 삶과는 너무나 다른 자신의 삶을 발견하게 되어서인지, 아니면 잃어버린 지난 6년의 시간을 다시 되찾고 싶어서인지 6년간 참아 왔던 눈물을 봇물 터지듯 쏟아 내며 엉엉 울고 또 울어 댔다. 죽어도 군에는 다시 돌아가지 않겠다면서 엉엉 울어 대는 아이에게 아무것도 해 줄 수가 없어 더더욱 마음이 아팠다. 불쌍하기도 했지만 6년간을 아껴

소년병 마뉴알과 살레시오회 수사.

온 보석 같은 눈물을 내 앞에서 흘리는 아이가 나는 고맙기도 했다. 아무것도 해 줄 수가 없어 눈물이 그칠 때까지 등을 토닥거려 주었을 뿐이다.

병원에서 퇴원을 한 뒤 석 달치 밀린 군대 월급을 받지 않기로 하고 마뉴알은 군에서 나올 수 있게 되었다. 자유의 몸이 된 것이다. 하지만 잃어버린 소중한 어린 시절을 누구로부터 보상을 받을 수 있겠는가? 다행히 군에서 운전과 정비를 어깨너머로 배워 지금은 오토바이와 자동차 정비를 하며 살고 있다. 공부를 하고 싶다고 하면서도 막상 멍석을 깔아 놓으면 습관이 안 들어선지 공부를 제대로 하지 않는다.

마뉴알은 저녁 무렵에 진료실에 자주 찾아온다. 그냥 찾아온다. 특히 술만 취하면 "쫄리 마이 파더"라고 부르며 찾아와 귀여운 주정을 부리다 돌아간다. 열다섯 살짜리 소년이 술에 취해 어른에게 주정을 부린다면 한국 같으면 턱도 없는 일이다. 호되게 야단을 치고도 남을 일이지만 마뉴알에게는 그렇게 할 수가 없다. 마뉴알은 여러 가지 이유로 전쟁을 벌인 우리 어른들의 희생 제물이라는 것이 분명하기 때문이다. 마뉴알을 보면 야단을 치기 전에 오히려 우리가 먼저 용서를 구해야 되지 않나 하는 생각이 들 때도 있다. 한편으로는 언제든지 편하게 찾아와 주는 마뉴알이 고맙기도 하다.

여러 가지 이유로 인해 정신적으로, 심리적으로 아파하는 청소년들이 우리 주위엔 참 많다. 그들에게 물론 심리 치료도 상담 치료도 필요하지만 때로는 그냥 편하게 같이 있어 주고 도가 넘는 왜곡된 투정도 아무 대꾸없이 받아 줄 수 있는 낙서장 같은 어른도 꼭 필요하지 않나 생각한다. 그냥 생각나는 대로 화가 나는 대로 부담없이 긁적이기도 하고 찢기도 할 수 있는 그런 낙서장 말이다.

지금도 지구 여러 곳에선 전쟁이 계속 되고 있다. 얼마나 많은 마뉴알 같은 아이들이 피해를 당하고 있을까, 라는 생각을 하면 소름이 끼치기도 한다. 어떠한 이유에서건 전쟁은 절대로 일어나서는 안 된다. 건물이나 중요한 유산들이 파괴되는 것도 문제이지만 그것보다도 전쟁이 마뉴알과 같은 죄 없는 아이들에게 입힌 도덕적, 심리적 상처야말로 돌이킬 수 없는 심각한 파괴임이 분명하기 때문이다. 마뉴알을 만난 이후로 전쟁 종식을 위해 하루도 빠짐없이 기도하게 된 이유도 거기에 있다.

살기 가득 한 마뉴알의 눈빛을 어떻게 하면 정상적인 아이의 눈빛으로 만들 수 있을까, 하고 많은 고민을 하고 있지만 아직도 답을 찾지 못하고 그냥 주정만 받아 주고 있다.

아스팔트 길, 십자가의 길

여긴 아스팔트 길이라는 것이 없다. 산이나 작은 고개도 없는 끝없는 평원 지역이다 보니 특별히 길을 내느라 땅을 파거나 나무를 베는 수고 없이도 사람들이나 차들이 여러 번 왔다 갔다 하다 보면 저절로 길이 생긴다. 바다도 물론이지만 산을 태어나서 한 번도 본 적이 없는 아이들이 태반이라 '등산' 이나 '산상 설교' 는 물론이고 산과 관련된 여러 가지 좋은 교훈들도 설명하기가 쉽지 않을 때가 있다.

이러한 지형적인 영향 때문인지 많은 사람들이 천성적으로 천하태평이다. 배가 고플 때 몸을 움직여서 먹을 것을 찾는 수고를 하기보다 동면하듯 나무 그늘 밑에서 움직이지 않고 가만히 누워 에너지를 아끼며 잠자기를 선호하는 사람도 꽤 있다.

대부분이 작은 길들이지만 신작로처럼 너비가 제법 넓은 도로들도 있다. 하지만 진흙 도로라 여기저기 깊게 파인 웅덩이가 많아 빨라야 시속 20-30킬로미터 정도밖에 속도를 내지 못한다. 먼지는 또 얼마나 많이 나는지 한 번 나갔다 들어오면 눈썹이고 콧속이고 온몸이 분가루를 칠한 것처럼 허옇게 변해 버린다. 처음 이곳에 왔을 때 특별한 이유없이 설사 때문에 고생을 했는데 나중에야 그것이 너무 많은 먼지를 삼켜서였다는 것을 알게 되었다. 그래도 거북이 속도이긴 하지만 비만 오지 않으면 어디든 갈 수 있다는 것에 감사를 드려야 한다. 오뉴월에 우기가 시작되면 도로가 온통 진흙탕이 되어 버려 꼼짝달싹할 수가 없기 때문이다.

도로라고 말할 수도 없는 악조건의 도로이지만 그렇기 때문에 좋은 점들도 참 많다. 우리나라에서는 깊은 산골에서만 즐길 수 있는 청정한 공기를 여기선 어디서든 쉽게 마음껏 마실 수 있고, 간혹 길 앞에 모습을 드러내는 원숭이들이나 노루, 사슴, 때로는 펠리컨 등 덕분에 무료 사파리를 즐길 수도 있다. 아무도 그 이름을 모르는 신비스러운 색의 아름다운 들꽃들과 그 주위에 카드 섹션을 하듯 모인 수십 마리의 노랑 형광빛의 작은 나비들, 한 번도 본 적이 없는 선혈 같은 진한 빨간 색깔 새들의 무리가 이루어 내는 자연색 그대로의 조화는 무릉도원을 방불케 한다.

특히 우기가 막 끝났을 때 우기 동안 길 위에 자란 2미터가 훨씬 넘는 들풀을 헤치며 지프를 운전할 때 느낄 수 있는 스릴은 특별한 즐거움이다. 아마 최고의 카레이서인 독일의 '슈마허'도 그 재미를 알면 당장 달려오지 않을까 싶다.

이외에 무엇보다도 좋은 점은 교통사고가 없다는 것이다. 빨라야 시속 20-30킬로미터의 속도로 달릴 수 있고 대여섯 시간은 달려야 반대쪽에서 오는 차량을 겨우 한두 대 정도 마주칠 수 있는 정도니 어떻게 교통사고가 날 수 있으랴! 더욱이 산도 낭떠러지도 없는, 시작도 끝도 평지뿐인 이런 길에서 운전자가 졸다 차가 길 밖으로 이탈을 한다 한들 무엇이 문제이겠는가? 아무것도

우기 때 저지대에 고인 물 웅덩이 곁으로 모여든 소들과 그 사이에서 놀고 있는 아이들.

부딪칠 것 없는 숲 속으로 잠시 들어갔다 나오는 정도일 뿐.

지금 와서 가만히 생각해 보니 몇 년 동안 진료소를 운영하면서 총에 맞고 창에 찔려 상처를 입은 환자들은 수도 없이 많이 보았지만 자전거를 타고 가다 넘어져 무릎이 깨진 몇 가지 경우를 제외하곤 교통사고로 다친 환자들을 한 번도 본 적이 없다. 한국 응급실에서 근무할 때 찾아오는 환자들 열 명 중 두세 명이 교통사고 환자였던 것을 생각하면 이곳의 상황이 신기할 따름이다.

4년 전쯤, 전쟁이 끝난 후 평화 협정이 체결되어 세계식량계획WFP의 원조로 도로 공사가 시작되었다. 우간다에서 북쪽 수도 카르툼까지 연결되는, 말하자면 1번 국도를 건설하는 공사였다. 마사토 흙으로 포장하는 정도의 공사였지만 외국인 도로 건설 회사가 엄청난 중장비를 들여와 공사를 맡았던 제법 큰 공사였다. 불도저로 길을 밀고 깎아 대충 평탄하게 만든 후 여기서 쉽게 구할 수 있는 마사토를 덤프트럭으로 실어 와 도로에 계속 붓고 그 위에 물을 뿌려 가며 두껍게 다지는 공사였다.

공사는 톤즈에서 시작되었다. 케냐의 나이로비로 가는 비행기가 일주일에 네다섯 번 뜨는 제법 큰 비행장이 있는 룸벡으로 가는 길의 공사가 처음 시작되었다. 큰 돌도 웅덩이도 없는 매끈

한 길이 조금씩 조금씩 생기는 것을 보면서 얼마나 가슴이 뛰었는지 모른다. 이전에 수십 번을 왔다 갔다 했던 길, 120킬로미터의 멀지 않은 길이었지만 가는 데 예닐곱 시간이 걸렸던 험난한 길이었다. 한 번 다녀오면 그 피곤함의 여파가 적어도 일주일은 갔고, 정도가 심할 때는 말라리아까지 앓아야 했던 '마의 길' 이었다. 우기 동안 진흙탕 길인 줄 뻔히 알면서도 급하게 필요한 것들을 구하기 위해 할 수 없이 떠났다가 수십 번을 진흙탕에 빠져 닷새 만에 겨우 돌아올 수 있었던 생각하기도 싫은 지옥 같은 길이었다. 공사가 끝나면 멀리 120킬로미터나 떨어진 룸벡을 한두 시간 만에 갈 수 있을 거라고 생각하니 믿기지가 않을 정도로 기뻤다.

1년 뒤 모든 공사가 끝났을 때 특별한 볼 일은 없었지만 그냥 차를 몰고 룸벡으로 향했다. 마음껏 달려 보고 싶었다. 스펀지 위를 달리는 기분이었고 액셀러레이터를 밟는 대로 차의 속도가 쉽게 빨라졌다. 조금씩 조금씩 더 밟아 결국 바닥까지 닿아 버렸다. 그럼에도 차에 아무런 요동도 느낄 수가 없어 시속 50-60킬로미터 정도려니 생각하면서 속도계를 보니 세상에 바늘이 100킬로미터를 넘고 있었다. 시속 20킬로미터로 달리던 길에서 100킬로

도로 포장 전의 길.

마사토로 말끔하게 포장된 도로.

미터로 달리고 있다는 것이 믿기지가 않았다. 이틀 반이 걸렸던 길을 한 시간 이십 분 만에 갈 수 있다니!

룸벡 길이 완성된 후 여섯 달 정도 후에 다시 100킬로미터 거리의 '와우Wau' 라는 도시까지 길이 만들어졌다. 다섯 시간이 걸리던 그곳도 한 시간 십 분 만에 갈 수 있게 되었다. 요동치는 차를 대여섯 시간 운전해야 했던 옛날의 고생을 생각하면 하루에 두세 번을 다녀와도 피곤하지 않았고 운전을 하는 것이 신나고 즐겁기까지 했다.

이러한 즐거움도 잠시, 좋은 길이 항상 좋은 것만은 아니라는 것을 깨닫는 데는 그렇게 많은 시간이 걸리지 않았다. 확 뚫린 길 때문에 교통사고 환자들이 병원에 들이닥치기 시작했다. 열두 명을 태우고 겁 없이 달리던 작은 트럭이 전복되어 열한 명이 즉사하고 우리 학교 학생이었던 한 명만 기적적으로 살아남은 사고가 난 적이 있었고, 한 가족 모두를 실은 봉고차의 앞바퀴가 갑자기 펑크가 나 차가 중심을 잃고 전복되어 모두 크게 다쳐 병원으로 실려 오기도 했다.

올해 고등학교 1학년을 마친 베로니카라는 여자 아이는 학기말 시험을 끝내자마자 네 명의 남편 후보감이 달라붙어 할 수 없이 경매(?)에 들어가게 되었고 결국 소 150마리로 낙찰되었다는 슬픈 소식을 들은 지 이틀 만에 차 사고로 병원에 실려 왔다. 얼굴 부분의 상처들이 깊고 커서 조금 큰 병원이 있는 와우로 후송했는데 상처를 보니 앞으로의 인생이 어떻게 될지 걱정되었다. 이것뿐만 아니라 오토바이 사고로 다친 환자들이 이틀에 한 건 정도는 어김없이 병원을 찾아온다.

자주 일어나는 이러한 사고들 탓에 신작로에서 나의 평균 운전 속도가 100킬로미터에서 70–80킬로미터로 줄긴 했지만 좋은 길로 인한 이로운 점들이 있는 반면 좋은 길로 인한 좋지 않은 여파도 받아들여야 하는, 무시 못할 현실이라는 것이 안타깝다.

그런데 따지고 보면 '좋은 길' 그 자체에 무슨 문제가 있으랴? '좋은 길' 은 정말 '좋은 것' 임에 틀림없다. 문제는 좋은 길을 나 혼자만의 길인 양 아무 생각 없이 무조건 달리고 남용하는 우리 인간들에게 있는 것이 아닌가 생각된다. 반대편에서 차가 와도 쌍라이트를 번쩍이며 목숨 걸고 앞차를 추월해 내고 마는 일부 사람들의 병적인 사고방식이 무고한 '좋은 길' 에 죄를 덤터기 씌우는 꼴이 아닌가 생각된다.

하느님께서 우리가 그렇게도 원하는 왕복 10차로 고속도로 같은 탄탄대로의 뻥 뚫린 인생의 길을 쉽게 주시지 않는 이유가 무엇일까? 혹시 이것이 바로 그 이유가 아닌가 생각된다. 우리가 고생할 줄 뻔히 알면서도 웅덩이가 있고 고개가 있어 쉽게 빨리 달리지 못하는 길, 때로는 진흙탕에 빠져 한참을 한곳에 머물러야 하는 길, 먼지가 나고 불편하기 그지없는 험한 흙 길을 우리에게 주시는 이유는, 좋은 길만 보면 탄탄대로라고 마음껏 달리고 마는 인간의 교만에 제동을 걸고 그것으로 인해 타인에게 주는 상처도 줄이며, 때론 함께 손잡고 때론 누군가를 부축해 주거나 등에 업고 함께 노래를 부르며 갈 수 있는 길, 교육적으로 좋은 길, 미래를 위해서 좋은 길을 주시기 위함이 아닌가 생각된다.

그럼에도 불구하고 빨리 달릴 수 있는 길, 평탄한 길에만 집착하는 고집스러운 인간들을 가르치기 위해 하느님 스스로도 골고타로 향하는 길, 십자가의 길을 택하신 것이 아닌가 생각된다.

무관심은 직무 유기

대부분의 사람들이 아프리카에선 물가가 엄청 싼 것으로 상상하고 있지만 사실은 정반대이다. 모든 것이 두세 배의 가격이다. 그나마 구할 수 있는 것의 가격이 그 정도이고 구할 수 없는 것은 가격의 몇 배를 지불한다 해도 구하기 어렵다. 그중에 하나가 계란이다. 더위 때문인지 먹이가 부족해서 그런지 닭들이 영계들처럼 작은데다 일 년에 겨우 몇 번밖에 알을 낳지 않으니 여기선 계란 구경하기가 매우 힘들다. 수도원에서 닭을 풀어 키우고 있지만 그나마 몇 번 낳는 알도 그놈들의 본성 때문에 여기저기 숨겨 놓기 때문에 꼭 필요할 때 계란을 찾으려면 몇 시간 동안 보물찾기를 해야 한다. 사정이 이렇다 보니 생일쯤이나 되어야 계란 프라이 하나를 먹을 수 있을 정도다.

한번은 말라리아에 걸려 제대로 먹지 못하는 내가 안쓰러웠던지 같은 울타리에 사는 수녀님이 어디서 그 귀한 계란을 구해 그것도 두 개씩이나 깨서 프라이를 해 가지고 왔다. 생일도 아닌데 말이다. 그렇게 계란 프라이 하나를 앞에 두고 핑 도는 눈물을 감추느라 혼이 난 적이 있다.

지금은 여기서 백 킬로미터 떨어진 '와우' 라는 곳에서 계란을 살 수 있긴 하지만 북쪽 카르툼에서 비행기로 실어 오다 보니 한 알에 5백 원씩이나 하는 계란이 그야말로 '금란' 이다.

처음 몇 년간은 구경도 못하던 콜라가 2-3년 전부터 이곳에서 간간이 눈에 띄기 시작했다. 이곳에서 처음 콜라를 발견하곤 너무도 신기하고 기뻐 즉시 콜라 한 병을 사서 들어왔다. 하지만 문제는 냉장고가 없는 것이었다. 아무리 사막에서 콜라를 발견했다고 한들 섭씨 사십몇 도의 뜨거운 콜라를 마실 수는 없었다. 귀한 콜라 한 병을 놓고 다시 비참해졌다. 순간 기발한 아이디어가 떠올랐다. 얇은 화장지에 물을 묻혀 콜라병을 딱 한 바퀴만 돌려 싸서 간간이 바람이 부는 창틀 위에 올려놓았다. 10분이 지났을까 화장지가 말라 있었다. 병을 만져 보았다. 예상 외로 많이 차가워져 있었다. 화장지에 적셔 있던 물이 증발을 하면서 콜라의

뜨거운 사이다를 시원하게 만드는 법:
사이다병에 얇게 화장지를 씌운 뒤
물을 살짝 붓고 바람이 지나가는 창틀에
10분 정도 놓으면 시원하게 된다.

뜨거운 열을 식힌 모양이었다. 콜라 한 병으로 그렇게까지 행복해질 수 있다는 것을 미처 몰랐다. 그때 마신 화장지 콜라 맛! 평생 잊지 못하리라. 하지만 그때 콜라 한 병값은 2천5백 원이었고 지금도 콜라를 어렵지 않게 구할 수는 있지만 여전히 한 병에 1천5백 원 정도이다.

7년 전 처음 진료소로 사용하던 건물은 마른풀과 대나무를 이용해 만든 움막 같은 집이었다. 지붕은 낮아 들어갈 때 허리를 90도 이상 구부려야 했고 움막 안은 햇빛이 잘 들지 않아 컴컴하기 때문에 들어가서 동공이 열릴 때까지 1-2분은 기다려야지 물체

옛 진료소(맨 위)와 새로 지은 병원(바로 위).

를 볼 수 있었다. 외상 환자들의 찢어진 상처를 깁고 있다 보면 거미나 지푸라기 같은 것들이 수술 부위에 내려앉는 황당한 적도 꽤나 있었다.

그곳에서 진료를 하는 것이 많이 불편하긴 했지만 시장이라는 것도 없었고 더욱이 목재나 시멘트, 못과 철근 등 건축 자재들을 파는 곳이 없어 시멘트 건물을 짓는다는 것은 엄두도 내지 못했다. 할 수 없이 진흙으로 벽돌을 만들어 굽지도 않은 채 두 평 남짓한 작은 진료실을 지어 보았다. 마른풀 대신 양철로 지붕을 얹고 전기가 없어 자연 채광을 이용하기 위해 환자 침대 위쪽에 투명한 플라스틱 지붕을 올려놓으니 밝아서 좋았다. 통나무를 잘라 만든 책상과 어설픈 진료용 침대 하나를 놓으니 제법 모양이 갖춰진 진료실이 되었다. 무엇보다도 문과 지붕이 높아 허리를 굽히지 않으니 참 좋았다.

그렇게 3년 정도 지난 즈음에 지금 사용하는 초현대식(?) 시멘트 병원 건물의 공사를 시작했다. 진료실, 주사실, 검사실, 입원실, 약품 창고 그리고 봉사자들을 위한 방 등을 포함해 모두 열두 개 방을 짓는 작은 공사였지만 아무것도 없는 곳에서 하는 건축 공사는 한국에서의 웬만한 빌딩 하나를 올리는 만큼이나 힘들었다.

뜨거운 태양 아래 채취를 해야 하는 어려움은 있었지만 그나마 다행히 가까운 곳에 강이 있어 모래만큼은 쉽게 구할 수 있었다. 하지만 모래를 제외한 모든 건축 자재, 하다못해 나사못 하나도 2천 킬로미터 떨어진 케냐의 나이로비까지 가야만 구할 수 있었기 때문에 물건 구입하는 것이 건물을 짓는 것보다 힘들었다. 더구나 거리가 너무 멀어 운송비가 물건값보다 더 비싼 것도 문제였다. 운송비를 포함하여 자재값을 계산해 보면 원래 가격보다 두세 배 정도가 더 비싸다. 나이로비에서 7천 원 정도 하는 시멘트 한 포대가 여기에 도착하면 2만 원 정도가 되었고, 8천 원 하는 4미터짜리 목재 하나도 2만 원, 1만 5천 원의 지붕용 양철 한 장도 여기에 도착하면 3-4만 원이 되었다.

정말 환장할 노릇이었지만, 백 원이면 한 끼를 때우고 천 원이면 한 달 교육비가 되는(사실은 그렇게 근거가 있는 말은 아니지만) 아프리카에서 어떻게 시멘트 한 포대에 2만 원이나 하느냐며 이곳 사람들이 아니면 아무도 이 사실을 믿으려 하지 않는다는 사실이다.

북 수단의 아랍 상인들이 수도 카르툼에서 트럭으로 많은 물자들을 남쪽으로 계속 실어 날라 댄다. 그만큼 이윤이 많이 남기 때문에 양파, 감자, 계란, 밀가루, 콜라, 환타, 의류, 자전거, 플라

새 병원 짓는 일을 돕는 학생들.

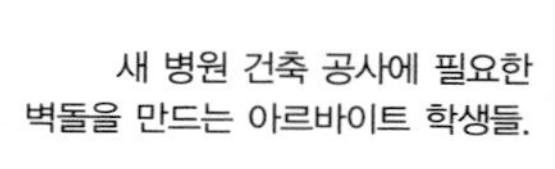

새 병원 건축 공사에 필요한
벽돌을 만드는 아르바이트 학생들.

스틱 의자, 신발 등 닥치는 대로 가져온다. 하지만 부르는 것이 값이다. 여기서 직접 재배하거나 생산하는 것이 없기 때문에 울며 겨자 먹기로 구입할 수밖에 없다. 하지만 아무것도 구할 수가 없었던 옛날을 생각하면 비싸기는 하지만 물건을 살 수 있다는 것은 감지덕지해야 한다.

올해는 한술 더 떠 물가가 폭등하였다. 산유지에서의 갈등으로 북부 정부군과 남쪽군 사이에 작은 국지전들이 벌어져 자주 도로가 차단되는 바람에 물가가 폭등한 것이었다. 안 그래도 북쪽에 비해 두세 배 비싼 물가가 이런 문제로 두세 배 더 뛰었으니 원래 가격에 비하면 대여섯 배 오른 셈이다. 계란은 아예 구할 수조차 없었고 땡볕에 찌들어 말라 비틀어진 감자지만 1킬로그램에 4천 원 정도로 올라 버렸다. 디젤도 리터에 5천 원으로 올랐다.

이곳은 도대체가 경제의 기본 원리가 적용되지 않는 곳이다. 인건비가 적은 곳엔 물가가 싸거나 적어도 비슷해야 하는 것이 정상인데 이곳은 인건비는 다른 곳의 십 분의 일 정도밖에 되지 않지만 물가는 선진국보다 두세 배 정도 더 비싸니 도대체가 도깨비 시장이다.

이곳 주민들은 모든 것들이 원래 그렇게 비싼 것인 줄 알고 아예 포기해 버렸다. 양파나 감자는 부르주아 음식이라 살 생각도

아이들의 점심 식사. 한 접시의 음식을 두서너 명이 함께 나눠 먹는다.

하지 않고 요리법도 모른다. 양념이라는 것도 없고 그것이 무엇인지도 모른다. 유일한 양념은 소금과 식용유이다. 여기서 나는 수수에 소금과 식용유 조금을 부어 만든 음식이 매일의 주식이고, 유목민이라 가끔씩 먹을 수 있는 고기 요리도 채소는 무슨 채소, 소금과 식용유 조금 넣고 푹 끓이는 것이 유일한 요리법이다.

이 같은 어처구니없는 일들이 일어나는 것을 보고 있으면 괜히 부화가 난다. 사회적으로 버림받은 것도 모자라 경제적으로도 버림받은 곳이라는 것을 느낄 수 있기 때문이다.

물론 도로 사정이 나쁜 것과 기후나 토질이 나빠 농작물의 자급자족이 되지 않는 것이 주원인이라는 것은 모두가 아는 사실이다. 하지만 진짜 주원인은 이 두 가지 원인의 배후에 숨어 있는 사람들의 '무관심' 이라는 것이 아닌가 생각된다. 최소의 투자로 최대의 이익을 올리는 것만이 모든 사람들의 목표인 자본주의 사회가 만든 '정당화되어 버린 무관심' 말이다. 어떠한 말이나 인권적인 사건이 일어나도 자국의 이권이 없는 곳엔 등을 돌리고 마는 국제 사회의 무관심도 그렇고, '나 하나 또는 내 가족 하나도 돌보기 빠듯한데.' 하는 개인적 무관심도 그렇다.

선의의 경쟁을 하나의 덕으로 여기는 경쟁 사회에서 상대에게 해를 끼치지 않는 '무관심' 은 하나의 덕으로 여겨질 수 있을

지 모르지만 그리스도인의 시각에서 '무관심'은 엄연한 죄악이 아닌가 생각된다. '사랑'의 반대말은 '미움'이 아니라 바로 '무관심'이기 때문이다.

그렇게 평등을 외치던 예수님께서 왜 부자들은 차갑게 외면하신 채 가난하고 버림받은 이들에게만 편애적인 사랑과 관심을 보여 주셨을까? 그것은 아홉을 가진 부자에게는 하나만 주면 열이 되지만 하나를 가진 가난한 이들에게는 아홉을 주어야 열이 될 수 있음을 아셨기 때문에 그렇게 하지 않으셨을까.

가난하고 버림받은 이들에 대한 특별한 관심은 예수님의 강한 가르침이기도 하지만 평등한 세상을 만드는 데 꼭 필요한 사랑의 교리가 아닌가 싶다. 혹시 현재 우리의 무관심은 최후의 심판에서 예수님이 우리에게 물으실 첫 번째 직무유기일지도 모른다.

내 참주인은

이곳엔 지역 방송국이 없어 텔레비전 뉴스를 보려면 인공위성 안테나를 달아야 한다. 대부분 유료 위성 채널들이다. 특히 스포츠 채널들을 보려면 한 달에 50 내지 100달러 정도를 지불해야 한다. 하지만 잘 찾아보면 CNN(한국의 YTN 같은 미국 뉴스 전문 채널) 같은 몇 가지 기본 채널을 받아 볼 수 있는 무료 채널들이 없는 것은 아니다.

4년 전 '아랍삿' 이라는 무료 채널을 달아 가끔씩이나마 뉴스를 볼 수 있어 세상 돌아가는 것에 어느 정도 발을 맞출 수가 있었다. 그런데 싼 게 비지떡이라고 몇 달이 지나자 인공위성이 궤도를 벗어났는지 아니면 무료 채널이라 그랬는지 아니면 인공위성에서 내려오던 전기 파장이 이곳의 주소를 찾지 못해 길을 잃었는지 한순간에 모든 것이 끊겨 아무것도 나오지 않았다. 하루아침에 갑자기 끊기니 조금 불편하긴 했지만 한편으로는 달갑지 않고 흉측한 소식들만을 전하는 뉴스를 아예 접하지 않으니 속이 편해서 좋았고 그렇게 몇 달을 보지 않으니 아예 습관이 되어 나중엔 아무렇지도 않게 되었다.

몇 달 전에 나이지리아에서 새로운 신부가 발령을 받아 이곳으로 왔는데 매일 보던 뉴스를 볼 수가 없어 많이 불편해하는 눈치였다. 그래서 2–3년 동안을 잊고 살았던 텔레비전에 다시 신경을 쓰게 되었다. 전파 수신기가 고장이 난 것 같아 새 전파 수신기로 바꿔 달고 접시 안테나의 정확한 방향과 각도를 인터넷으로 공부해 가며 나침반을 들고 방향과 각도를 수백 번 바꿔 가면서 며칠 간 시도해 보았으나 신호는커녕 지지직거리는 소리조차 받아 내질 못했다. 할 수 없이 '와우' 에서 경험이 있는 기술자를 데리고 왔다. 한 번 연결을 해 보더니 접시 안테나의 정면에 고정되어 있는 손목 크기만 한 'LNB' 라는 것이 고장났다며 가지고 온 새것으로 바꾸었다. 새것으로 갈자마자 언제 그랬느냐는 듯이 즉시 전파가 잡히며 뉴스가 흘러나왔다. 이렇게 간단한 것을 가지고 3일간을 땡볕에서 고생한 걸 생각하니 너무 허탈하긴 했지만 중요한 것 하나를 배울 수 있어서 다행이었다.

많은 경우 큰 문제를 일으키는 실제 원인은 아주 작고 간단한 것에 있다는 것. 하지만 대개 그것을 알지 못하고 엉뚱한 곳에 시간과 에너지를 낭비하고도 결국 문제를 해결하지 못하는 경우가 허다하다는 생각이 든다. 세상에 많은 문제를 일으키는 가장 흔한 원인은 바로 '나 자신' 이라는 것이 그 좋은 예가 아닐 듯싶다. '내 탓이오!' 하면서 나 자신의 마음가짐만 조금 바꾸면 모든 것이 쉽게 풀려 해결되는 경우가 많다. 하지만 체면이나 위신 또는 자존심 때문에 문제의 원인을 엉뚱한 곳에, 즉 타인에게로 돌리려 한다. 그런 심리적 에너지의 낭비 때문에 문제는 전혀 해결되지 않으면서 몸은 몸대로 지치고 마음은 마음대로 상하는 경우가 생기는 게 아닐까.

그건 그렇고, 아나운서의 맑은 음성과 함께 텔레비전에 깨끗한 화면이 나오자 우리는 모두 박수를 치며 환호했다. 옆에 있던 기숙사 아이들까지도 덩달아 춤을 추며 기뻐했다. 그런데 공교롭게도 그때 흘러나온 뉴스는 이라크의 전쟁 소식이었다. 수십 구의 시신이 화면을 통해 보여지고 있었다. 고의는 아니었다지만 전쟁으로 죽은 수십 명의 시신을 보며 우리는 환호하며 박수를 치고 있었던 것이다. 섬뜩한 생각이 들었고 치던 박수를 멈추게 했다.

4년 전 이곳 톤즈에서 20-30킬로미터 떨어진 곳에서 싸움이 일어나 많은 사람들이 병원으로 실려 왔다. '말루알목' 이라는 마을과 근처의 '마비오리얄' 이라는 다른 마을 간에 벌어진 싸움이었다. 항상 그렇듯이 소와 연관된 여자가 문제의 발단이었다. 두 가족의 갈등이 조금씩 번져 두 친척들 간의 갈등이 되었고 결국에 두 마을 간의 전쟁으로 번지고 말았다. 하룻밤에 말루알목 사람들이 마비오리얄로 쳐들어가 닥치는 대로 총을 쏘고 창으로 찌르고 돌아오면, 그다음 날엔 마비오리얄 사람들이 말루알목으로 쳐들어가 더 많은 사람들을 찌르고 죽이는 끝나지 않는 보복의 연속이었다.

많은 환자들이 창에 찔리거나 총상을 입고 병원으로 실려 왔다. 창에 찔린 상처들을 보니 정말 끔찍했다. 누가 옳고 그르다고 할 것 없이 배, 가슴, 머리, 허리, 허벅지 등 사정없이 찔러 댄 상처들이었다.

처음엔 환자들을 치료하느라 바빠 생각을 미처 못했다가 밤이 되어서야 병원에 서슬 퍼런 긴장감이 돌고 있다는 느낌이 들어 둘러보게 되었다. 말루알목 사람들과 마비오리얍 사람들이 한 입원실에 섞여 있다는 것을 그때서야 알아차린 것이다. 원수들이 한방에서 같이 누워 있었던 것이다. 그때서야 문제의 심각성을 파악하고 모든 보호자들을 불러 모았다. 여긴 신성한 곳이다. 모든 사람들을 똑같이 사랑하시는 하느님의 교회가 운영하는 미션 병원이다. 여기선 말루알목 편도 없고 마비오리얍 편도 없다. 여기서 만큼은 어떠한 보복도 일어나서는 안 된다 하며 입에 침이 마르도록 당부를 했다.

하지만 애초에 그런 것에 관심이 전혀 없었다는 표정들을 보호자들의 얼굴에서 읽을 수 있었다. 정말 그랬다. 나의 걱정은 기우였다. 말 그대로 적과의 동침이었지만 그날 밤 아무런 일도 일어나지 않았고 다음 날 서로 말을 건네고 이야기하는 모습들, 친척들이 해 오는 음식을 나누는 모습들을 보면서 일대 일로 만난 그들은 결코 원수지간이 아닌 그냥 이웃이라는 것을 느낄 수 있었다.

그렇다면 왜 그들은 그렇게 잔인하게 싸우고 있었던 것일까. 그냥 싸우고 있었다는 표현이 정확한 표현일지도 모른다. 무엇 때문에 싸우는지도 모른 채 서로 죽이고 있었던 것이다. 문제의 발단이 무엇이었는지도 잊은 채 그냥 전날 당한 사상자의 숫자가

집총 경례를 올리는 군인.

다음 날 보복의 동기가 되어 버린 어처구니없는 싸움을 하고 있었던 것이다.

지금은 위성 채널들이 문제를 일으키지 않아 계속 뉴스를 볼 수 있어 좋긴 하지만 늘 마음 한구석이 편치가 않다. 2년 동안을 잊고 지내다가 다시 서로 야유하는 모습, 주먹질을 하며 싸우는 모습, 군인들이 조준하여 총을 쏘는 모습, 피를 흘리며 신음하는 민간인들의 모습, 불꽃놀이로 착각이 들 정도로 엄청난 양의 살상용 폭탄이 터지는 장면 등 이런 파괴적인 모습들을 접하게 되니 전쟁과 폭력에 대한 문제가 이전보다 더 심각하게 다가옴을 느낀다.

이런 뉴스들을 보면서 저 사람들도 혹시 이유도 모른 채 서로 싸우고 죽이고 있는 것은 아닐까 하는 생각이 들었다. 이라크 사람과 미국 사람이 제3국에서 개인적으로 만난다면 뉴스에서 보는 것처럼 무시무시한 원수의 감정이 앞설까. 절대 아니라고 생각한다. 전쟁터에선 더할 수 없는 원수지간인 말루알목 사람들과 마비오리얄 사람들이 병원의 한 입원실에선 서로 입담과 음식을 나누는 다정한 이웃이 되었던 것처럼 그들도 한 이웃으로 만날지 모른다.

그렇다면 일선에서 미군들과 이라크군들은 왜 서로 더 죽이질 못해 안달일까. 혹시 그들은 자신들도 모르게 누군가에 의해서 조종되고 있는 꼭두각시일 수도 있겠다는 생각이 든다. 여러 가지 이권을 위해 큰 전쟁을 서슴지 않고 벌이는 몇몇 큰손들에 의해 놀아나는 꼭두각시들 말이다.

누가 인간을 만물의 영장이라며 가장 지능이 높은 동물이라고 했는지 모르지만 요즘 일어나는 일들을 보면 가장 바보스러운 동물 또한 인간이 아닌가 싶다. 먹이를 위해서 싸우고 죽이는 다른 동물과는 달리, 따지고 보면 별 대수롭지도 않은 이유로 쉽게 죽이고 죽는 끝이 보이지 않는 게임을 벌이는, 이유도 모른 채 꼭두각시 노릇을 하며 서로 죽고 죽이는 인간들, 십자가 위에서 하신 예수님의 말씀대로 자기들이 무엇을 하고 있는지도 모른 채 엄청나게 비참한 일들을 저지르고 있는 사람들의 정신 연령은 과연 몇 살 정도일지 궁금하다.

살다 보면 할 수 없이 우리의 본의와는 다른 어떤 일이나 행동을 하게 된다. 사업이나 일 때문에도 그렇고 체면 때문에도 그렇고 아이들의 장래를 위해서도 그렇다. 하지만 할 수 없이 하게 되는 그 일이 타인에게 피해를 주는 결과를 초래한다면 그 일들을 통해 우리는 꼭두각시가 되어 버리고 또한 우리 스스로가 무엇을 하고 있는지도 모르는 바보로 전락되어 버리는 것이 아닌가 생각한다.

많은 사람들이 많은 재물의 주인이 되기만을 원할 뿐 자기 행동의 주인이기를 꺼려 한다. 우리 그리스도인들만이라도 우리가 무엇을 하고 있는지 정확히 아는 우리 행동의 참주인이 된다면 세상은 좀 더 살기 좋은 세상으로 변하지 않을까 싶다. 재물을 조금만 덜 챙기고 이웃을 조금만 더 챙겨 주려고 노력하다 보면 행동의 참주인이 되지 않을까…….

아름다운 향기

"꼭 신부가 아니더라도 의술로 많은 사람들을 도울 수 있는데 왜 꼭 신부가 되실 결심을 하셨나요?"

"한국에도 가난한 사람들을 위한 일들이 많은데 왜 그 먼 아프리카까지 가실 생각을 하셨습니까?"

내가 자주 받는 질문들이다. 7년 이상을 이런 내용의 질문을 계속 받아 왔지만 지금도 시원하게 답하지 못하고 어영부영 얼버무리고 만다. 이런 질문들을 받고 나면 돌아서서 혼자 스스로에게 다시 질문을 해 보지만 특별하게 딱 부러지는 답을 찾기가 힘들다. 정말 특별한 이유가 없기 때문이다. 그냥 어릴 때부터 그렇게 살고 싶다는 생각을 해 왔고 지금 그렇게 살고 있을 뿐이기 때문이다. 하지만 가만히 생각해 보면 내가 그렇게 생각을 할 수 있었던 것은 크게 작게 나에게 영향을 끼친 내 주위 사람들의 아름다운 삶의 향기들 때문이 아닌가 싶다.

'가장 보잘것없는 형제 한 사람에게 해 준 것이 곧 나에게 해 준 것이다.' 는 예수님의 말씀도 그랬고, 모든 것을 포기하고 아프리카 원주민들이 사는 마을로 들어가 의사로서 정신적인 지도자로서 평생을 바친 슈바이처 박사도 그랬다. 그리고 어릴 적 집 근처에 있었던 '소년의 집' 에서 가난한 고아들을 보살피고 몸과 마음을 씻겨 주던 소 신부님과 그곳 수녀님들의 헌신적인 삶의 모습도 그랬으며, 일찍이 홀로 되어 덜렁 남겨진 10남매의 교육과 뒷바라지를 위해 눈물은 뒤로한 채 평생을 희생하신 어머님의 고귀한 삶도 내 마음을 움직이게 한 아름다운 향기였다.

'향의 종류와 세기의 정도에 차이가 있긴 하겠지만 사람은 누구나 나름대로의 향기를 지니고 있다.' 는 생각이 든다. 주위의 다른 사람들에게 어느 정도의 영향을 끼치는 자기장과 비슷한 그런 향기 말이다.

우리가 원하든 원하지 않든 그리고 의식을 하든 하지 않든 우리의 의지와는 관계없이 많은 사람들의 이런 향기가 서로 얽혀서 알게 모르게 서로의 삶에 영향을 주고 있음에 틀림없으리라.

사람에 따라 어떤 사람은 범위가 좁고 아주 약한 파장을 만들어 내지만 어떤 사람들은 파장의 힘이 강할 뿐 아니라 그 미치는 영역이 놀랍도록 크기도 하고 시간과 공간을 초월하기도 한다. 그것이 사실이 아니라면 슈바이처의 삶이 지니고 있던 자기장의 에너지가 어떻게 백 년이 지난 지금에도 많은 사람들의 삶에 영향을 주고 있으며 또한 예수님 사랑의 자기장이 어떻게 2천 년이 지난 지금에도 강한 힘으로 지구 전체에 영향을 미치고 있는지 설명할 수 없을 것이다.

일 년 전에 수원교구에서 세 분의 신부님이 내가 사는 곳에서 90킬로미터 정도 떨어진 곳에 새로운 선교 공동체를 시작하기 위해 들어왔다. 남부 수단으로 바로 들어오는 비행기가 없어 케냐의 나이로비를 통해 들어왔는데 직접 나이로비로 마중을 나갔다. 개인적으로 잘 알지 못하는 신부님들인데도 마중을 나가는 길이 왜 그렇게 즐겁고 들뜨던지 지금 생각해도 모를 일이다. 시집간 누나를 찾아오는 친정 동생들을 데리러 읍내로 마중 나가는 것 같은 그런 느낌이었다.

신부님들이 앞으로 겪어야 할 숱한 어려움들을 생각하면 마음이 아리고 연민의 정도 느껴지지만 한국에서의 편안한 사목(한

톤즈 비행장에 내린 최덕기 주교를 마중하는 주민들.

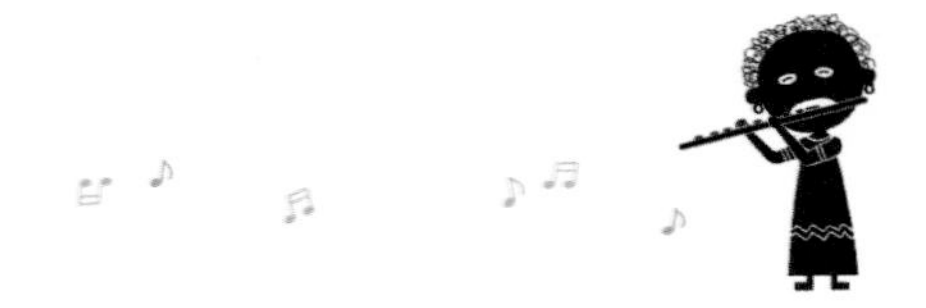

국에서의 사목도 쉽지 않은 것은 알지만 다른 의미에서의 편안함이다)을 마다하고 전기는 물론 전화도 텔레비전도 없고 인터넷도 없는, 지리적으로도 문화적으로도 그리고 경제적으로도 고립된 오지 중의 오지로 스스로 자원해서 온 세 분 신부님들이 그렇게 자랑스럽고 사랑스러울 수가 없었다. 등에 업고 춤이라도 추고 싶은 심정이었다고나 할까.

같은 지역 출신도 아니고 그렇다고 같은 곳에서 신학을 공부한 것도 아닌데 왜 그렇게 반갑고 가깝게 느껴지던지……. 모든 것을 주어도 아깝지가 않을 것 같았다. 열흘 동안 나이로비에서 같이 합숙하며 필요한 것들을 준비하면서 피가 물보다 진하다지만 물보다 진하다는 그 피보다 더욱 진한 또 다른 그 무엇이 분명히 존재한다는 사실을 깨달을 수가 있었다.

하느님 나라에서의 관계, 아무런 이해타산 없이 서로 좀 더 도와주지 못해 안달하는 그런 관계, 하느님이 보시기에 너무 사랑스러워 은총을 듬뿍 주시지 않고는 배기지 못하는 그런 관계가 피보다 진한 그 무엇이 아니겠는가. 우주를 덮고 있는 예수님의 거대한 자기장 아래서 더 가난한 이웃들을 돕기 위해 서로 조화롭게 꿈틀거리는 비슷한 주파수의 세 분 신부님들과 나의 향기 자기장들이 피보다 진한 관계의 비결이 아닌가 생각된다.

3년 전 수원교구의 최덕기 주교님이 누추한 이곳 수단을 직접 찾아왔다. 어느 신문에 실린 수단에 관한 나의 글을 읽고 마침 사순절이기도 해서 이곳 형제자매들을 위해 모금까지 해서 직접 방문한 것이었다. 지금까지 한 번도 직접 뵌 적이 없었지만 흙 길 활주로에 내리는 주교님을 본 순간 아주 오랜만에 만나는 아버지, 그것도 아들을 만나기 위해 산 넘고 물 건너 험한 길을 마다치 않고 찾아온 자상한 아버지를 만나는 것과 같은 감동이 가슴으로부터 흘러넘쳤다. 주교님과 포옹을 하는데 눈물이 주르륵 흘렀다.

나중에 알게 되었지만 폐암 검사를 위해 조직을 떼어 놓고 바로 아프리카로 왔는데 수단에 일주일 머무는 동안 조직 검사가 폐암으로 판정되었고 한국으로 돌아가자마자 항암 치료를 시작하였다 한다. 수단에 머무는 동안 심리적으로도 육체적으로도 많이 힘들었을 텐데 내색하지 않고 험한 돌밭 길을 지프를 타고 이 마을 저 마을 둘러보며 비참하고 가난한 이곳 사람들의 모습에 마음 아파하였다.

주교님은 한국으로 돌아가면서 이곳에 꼭 신부님들을 보내겠노라고 약속을 하였고 약속대로 보내 준 신부님들이 바로 일 년 전에 온 세 분의 신부님들이니 우리의 이 관계가 어찌 피보다 더

방문한 수원교구 최덕기 주교를 환영하는 톤즈의 아이들.

진하지 않을 수 있으랴!

주교님의 향기가, 그리고 새로 온 세 분 신부님들의 아름다운 향기가 자기장과 같은 에너지로 퍼져 다른 공간과 다른 시간 속 사람들의 마음에 새로운 예수님 사랑의 자기장을 심어 새로운 삶을 만들어 놓을 것이라 확신한다.

내 삶의 향기는 어떤 향기일까? 얼마나 강한 자기장을 지닌 향기일까? 내 스스로가 맡을 수도 없고 그 세기도 알 수 없지만 그 향기에 대해 내 스스로가 책임을 져야 하지 않나 생각하게 된다.

우리의 삶에 향기를 만들어야 한다. 후각만 자극하는 향기가 아닌 사람들의 존재에 그리고 그들 삶의 원소적 배열에 새로운 변화를 일으키게 하는 자석 같은 향기 말이다.

함께 아파하고 먼저 안아 주는 것

북 수단에 가 보면 사람들의 생김새나 살아가는 방식 또는 문화가 남 수단의 사람들과는 많이 다르다는 것을 쉽게 알아차릴 수 있다. 피부는 남쪽 사람들보다 더 하얀 편이고 머리카락도 곱슬거리는 정도가 덜해 더 긴 편이다. 언어까지 알아듣기 힘든 아랍어를 쓰기 때문인지 한 번씩 북쪽 수도인 '카르툼' 엘 가면 완전히 다른 세상에 와 있는 느낌이 든다.

대부분의 사람들이 하얀 두건들을 머리에 두르고 '젤라비아' 라는 통이 큰 흰색의 전통 원피스를 입고 다니기 때문에 개개인의 움직임뿐만 아니라 사회 전체의 움직임까지도 어떤 종교의식처럼 느껴질 때가 많다. 하루 중 대여섯 번씩 하던 일을 멈추고 적게는 두세 명씩 많게는 열댓 명 정도의 사람들이 함께 모여 공터에 돗자리를 깔고서 메카를 향해 절을 하고 기도하는 모습을 보면 성스러운 느낌마저 들기도 한다.

이러한 북쪽 사람들을 남 수단 사람들은 '아랍인들' 이라고 부르는데 실제 이들의 모습은 흑인과 중동의 아랍인들의 중간 정도의 생김새를 하고 있다. 아무튼 이 아랍인들, 즉 북부 수단의 사람들은 남쪽 사람들에겐 모두가 다 '원수' 들이다. 역사적인 이유에서도 그렇고 아픈 상처를 남긴 전쟁 때문에도 그렇다. 친절한 아랍인들도 관대한 아랍인들도 필요 없다. 모두가 남쪽 사람들에겐 '죽일 놈들' 이다.

남쪽의 수도 격인 '주바' 라는 곳에 우리 수도원이 있어서 간 적이 있다. 공항에서 수도원까지 마땅히 타고 갈 차가 없어서 같은 비행기를 타고 온 아랍 사람을 마중 나온 차가 있어 수도원까지 태워 달라고 부탁을 했는데 얼마나 친절한지 찾기 어려운 곳에 있는 수도원을 물어물어 찾아 주고는 자기 집이 근처에 있다며 집에 가서 차라도 한잔하자는 호의까지 베풀어 주는 것이 아닌가.

이런 이야기를 이곳 남쪽 아이들에게 해 주며 "모든 아랍인들이 다 똑같은 것이 아니다. 이렇게 좋은 아랍인들도 많다."는 이야기라도 하게 되면 아이들은 내가 그 사람들을 잘 몰라서 그런다고 고개를 설레설레 젓는다. 절대로 믿어서도 안 되고 절대로 호의를 베풀어서도 안 되는 사람들이 아랍인들이란다.

모든 사람들을 다 싸잡아서 평가하는 것이 뭣하긴 하지만 아이들을 나무랄 수도 없는 것이, 영국은 수단을 지배하는 동안 그래도 산업 시설이나 학교 등 좋은 것들도 많이 남겨 주었지만 아랍인들은 남 수단 발전에 도움되는 것이면 어떤 것이라도 막으려는 억압 정책을 몇십 년간이나 썼다. 그래서 버젓한 공장이나 시설들은 모두 북쪽에 있고 남쪽엔 온전하게 지어진 학교 건물 하나 없다는 남쪽 사람들의 말에도 일리가 있을 수밖에 없는 것이다.

2년 전 처음으로 이곳의 수도인 카르툼에 간 적이 있다. 평화협정을 했으니 남쪽의 비자로 충분히 들어갈 수 있으리라는 나의 예상은 완전히 빗나갔다. 비행기에서 내려 공항 건물로 들어서자마자 보안 요원들이 즉시 달라붙더니 여권과 비자를 보여 달라는 것이었다. 북 수단의 비자는 없고 남쪽 비자만 가지고 있다며 그것을 보여 주었더니 그것은 남쪽에서만 유효한 것이라며 불법으로 왔으니 즉시 타고 왔던 비행기로 다시 남쪽으로 돌아가라는 것이었다. 아무리 사정을 해도 눈 하나 깜짝 안 하고 무조건 다시 돌아가라는 것이었다. 다행히도 보안 요원 중에 아는 사람을 만나 비싼 벌금을 내고 카르툼 시내로 들어갈 수는 있었지만 어처구니가 없었다.

다음 날 새벽 다섯 시, 엄청난 소음에 잠이 깼는데 순간 전쟁이라도 일어난 줄 알았다. 이슬람 사원의 확성기에서 흘러나오는 아침기도 소리 때문이었다. 수도원 담장 바로 옆에 붙어 있는 사원의 확성기에서 나오는 아침기도 소리의 볼륨은 장난이 아니었다. 15분 정도를 떠들다 멈추어서 다시 겨우 잠을 이룰 수 있겠다 싶었는데 여섯 시쯤에 확인 사살을 하기라도 하듯 고막을 파는 듯한 소음이 또 시작되었다. 이건 소음 정도를 벗어나 아무것도 먹지 않은 빈속에 위액을 사정없이 과다 분비시키는 거의 고문과도 같은 수준이라고나 할까.

가뜩이나 전날 공항에서 비자 문제로 심통이 나 있었는데 새벽부터 위산과다를 일으키고 잠을 설치다 보니 남쪽 사람들이 가지는 아랍인들에 대한 부정적인 감정에 나도 모르게 조금씩 공감을 하게 되었다. 이야기를 들어 보니 북 수단 어느 곳이라도 성당이나 수도원을 지으면 그 바로 앞이나 옆에 꼭 이슬람 사원을 지어야만 그들의 직성이 풀린단다. 심지어는 가톨릭이나 개신교에서 운영하는 모든 학교 앞에도 사원이나 이슬람 학교를 기어코 짓는다고 한다.

카르툼에 두 곳, '엘오베이드' 라는 곳에 한 곳, 합해서 북 수단 지역의 세 곳에 우리 수도회의 공동체가 있긴 하지만 그곳 수사님들의 이야기를 들어 보면 그곳에서 사목을 하기가 보통 어려운 것이 아닌 모양이다. 그중의 하나가 본당인데 20년 전에 본당 사목을 시작했지만 아랍인은 한 명도 없었고 오직 북쪽에 와서 살게 된 가난한 남쪽 주민들 천여 명 정도가 신자의 전부란다. 그나마 나머지 두 곳은 기술학교 공동체라 학생들의 절반 이상이 아랍인들이다. 하지만 선교라는 것은 엄두도 내지 못한다. 그냥 아침 조회에서 학생들에게 하는 훈화 중에 약간의 복음적인 내용을 넣을 수 있는 정도가 전부다.

이런 곳에서 어떻게 선교가 가능할까? 개종이라는 것은 죽어도 있을 수 없는 곳, 타 종교에 대한 방해가 알게 모르게 끊임없이 가해지는 곳, 그래서 도저히 복음화라는 것이 불가능한 곳이리라 생각했다. 그렇다면 선교의 기능이 없는 북 수단의 선교 공동체의 존재 의미는 과연 무엇일까, 라는 회의감마저 들었다.

하지만 북 수단 사람들에 대한 이러한 나의 닫힌 마음은 예전 『공동체 성가집』에 많은 곡들을 실은 원선오 신부님이 계신 '엘

엘오베이드에 있는 살레시오 기술학교에서 기술을 배우는 아랍계 젊은이들.

오베이드'에 다녀온 뒤부터 조금씩 열리기 시작했다.

엘오베이드는 인종 학살 때문에 언론에서 많이 알려진 '다르푸르'라는 곳과 가까운 곳에 있는(하지만 기차로 이틀이 걸리는 거리이다) 도시이다. 거기엔 원 신부님을 비롯해 세 분의 신부님과 한 분의 수사님이 함께 기술학교를 운영하고 있는데 학생들의 95퍼센트 이상이 이슬람교 아랍인들이다. 그런데 학생 9백 명 중 4백 명은 신부님, 수사님들이 직접 다르푸르에 가서 사나흘 동안 기차를 타고 데려온 학생들이었다. 기숙사 건물이 따로 없어 큼직한 개인 주택 네 채를 월세로 빌려 한 채에 백 명 정도의 학생들이 벌 떼처럼 생활하고 있었는데 수도원에서 모든 것을 제공하고 있었다. 정부 기관이나 큰 비정부단체NGO의 특별한 재정적 지원 없이 4백 명의 학생들을 편안하게 재우고 하루 세 끼 꼬박 챙겨 주며 공부를 시킬 수 있다는 것이 거의 기적처럼 보였다.

처음엔 이슬람인이라는 선입견을 가지고 학생들을 만났는데 일단 만나고 보니 그들도 내가 한국에서 만났고 남 수단에서도 만난, 우리의 도움을 필요로 하는 아이들과 전혀 다른 점이 없는 똑같은 이들이라는 것을 느낄 수 있었다. 기술을 배우겠다는 일념으로 좁디좁은 공간에서도 밝은 모습으로 살아가는 아이들을 직접 만나 보니 안쓰러운 생각마저 들었다. 가난과 절망을 극복

하기 위해 죽음의 늪에서 뛰쳐나온 다르푸르의 가난한 아이들을 보니 '가톨릭' 이니 '개신교' 니 '이슬람교' 니 하며 사람을 종교로 구분 짓는 것이 그들에겐 배부른 소리요 조금은 미안한 소리가 아닐까 하는 생각이 들지 않을 수 없었다.

다르푸르의 아이들은 정말 우리의 도움이 절실하게 필요한 이들임이 틀림없다. 도움이 필요한 사람들에게 도움을 주고 희망을 잃은 이들에게 희망을 주며 사랑을 잃은 이들에게 사랑을 주는 데에 그들이 가톨릭이나 개신교면 어떻고 이슬람교면 어떤가? 그들이 우리의 도움을 받는다고 해서 꼭 우리가 믿는 종교로 개종해야 한다는, 내 안에 잠재된 강박적인 사고에 부끄러운 마음이 들었다.

복음서에 나오는 예수님의 모습을 보면 예수님이 바리사이들에 대한 특별한 알레르기가 있었음을 분명히 느낄 수가 있다. 이는 종교의 틀에 인간들을 끼워 구속시키려는 바리사이들의 사고와 행동에 맞서 '종교는 인간을 구속하는 정신적인 틀이 절대 아니다.' 고, '오히려 인간을 더 자유롭게 만드는 정신적인 해방의 틀이다.' 는 것을 외치기 위함이 아니었나 생각한다.

이슬람 지역에서 그 사람들을 개종시킬 수 없다고 해서 우리

당나귀처럼 생겼다 해서 '동키' 라고 부르는 수동식 물 펌프 앞에서
아이들이 물을 길으려고 차례를 기다리며 놀고 있다.

의 선교 기능이 정말 마비된 것일까? 그건 분명히 아니라고 생각한다. 예수님께서 지금 북 수단에 계신다면 어떻게 하셨을까? 그들을 개종시키지 못한다는 것을 뻔히 알고 계심에도 불구하고 분명히 그들과 함께 아파하고 그들을 안아 주며 위로해 주실 것이라 생각한다. 결과나 수치, 틀에 박히지 않는 예수님의 깊고 넓은 사랑의 모습을 사람들에게 보여 주는 것이 바로 진정한 선교가 아닐까.

마음의 신분증

이곳에는 생년월일을 신고할 기관이 없다. 게다가 가족들도 기록해 놓지 않기 때문에 대부분이 자신의 생일도 모르고 나이도 모른다. 나이를 물어보면 태어난 해에 일어났던 특별한 역사적 사건을 생년의 기준으로 삼는다. 자신이 태어날 때 사람들이 농사를 짓기 시작할 때였는지, 추수할 때였는지 아니면 건기였는지가 태어난 달을 대충 추측하는 기준이 될 뿐이다. 병원을 찾아오는 환자들의 나이를 병력지에 기록하기 위해 나이를 물어보게 되는데, 적어도 40대 중반으로 보이는 아저씨가 손가락 일곱 개를 펴 보이며 '일곱 살' 이라고 대답했던 사 년 전쯤의 사건 이후 나는 절대로 이곳 사람들의 나이를 물어보지 않는다. 물어보는 사람이 잘못이다. 얼굴의 주름이나 피부의 탄력 등을 보고 추측하여 적는 것이 훨씬 정확하고 마음도 편하다.

정확한 나이는 모르지만 딩카족은 아이들이 어느 정도 자라면 '성년식' 이라는 것을 한다. 마을 단위로 비슷한 또래의 아이들을 한데 모아서 하는 마을 행사이다. 그 또래가 되지 않은 아이들도 자신이 원하면 언제든지 성년식을 할 수 있는데 일단 성년식을 하고 나면 아무리 작은 아이들도 어른으로서의 대접을 받기 시작한다. 하지만 어른 대접을 받을 수 있는 영광에도 불구하고 많은 아이들이 쉽게 성년식에 참가하지 못하고 망설이고 두려워한다. 그것은 '아픈 만큼 성숙해지고' 라는 노래의 가사처럼 성년식 때 겪어야 할 아픔이 상상을 초월하기 때문이다.

성년식의 광경은 이렇다. 숫돌로 잘 간 단도같이 생긴 날카로운 전통 칼의 끝을 세워 '거거걱 거거걱' 하는 소리를 내면서 이마 앞쪽에서 시작해 후두부까지 이어지는 긴 줄의 상처를 낸다. 이 줄을 '고르놈' 이라고 한다. 그런데 한 줄로 끝나면 좋으련만, 이마 양쪽으로 적게는 네 줄 많게는 열 줄의 상처(부족마다 줄의 수가 다르다)를 낸다. 상상을 해 보라! 이마와 얼굴은 피범벅이 되고 5분에서 10분 동안 칼로 생살을 베는 아픔을 눈물 한 방울 없이 참고 견뎌 내야 하는 아이들의 심정을. 견디지 못하고 눈물이라도 보일 시엔 어른 대접도 받지 못하고 평생 '겁 많은 자'로 낙인 찍혀 살아야 하기 때문에 차라리 시작을 하지 않았으면 안 했지 시작을 한 이상 절대로 눈물을 흘려서는 안 된다.

고르놈 예식에서 통과된 아이들은 다음 단계인 '생니 뽑기'라는 예식으로 넘어간다. 고르놈 예식 때 쓰던 같은 칼의 끝을 잇몸 안으로 집어넣어 말 그대로 멀쩡한 생니를 후벼 파내어 버린다. 한두 개도 아니고 자그마치 여섯에서 여덟 개를 마취 없이 칼끝으로 후벼 파낼 때의 아픔은 그것을 당해 보지 않은 우리 같은 '어린이들'(이마에 고르놈도 없고 아랫니를 빼지 않은 우리를 아직 어른이 아니라며 놀리는 사람들이 많다)은 상상조차 하기 힘든 것이리라.

처음 여기에 왔을 때 이마의 '줄 상처'와 여섯 개의 아랫니가 없는 이곳 사람들이 우스꽝스럽기도 했고 '원시적이다'는 생각을 했는데 내막을 알고 나니 엄청난 고통을 견뎌 낸 이곳 아이들이 정말 어른처럼 보이기 시작했다. 그런데 생니를 뽑는 이유를 물어보면 딱 부러지게 수긍이 갈 만한 이유를 대는 사람들이 많지 않다. 한국에선 돈이 없어서도 못해 넣는 비싼 '이'가 아까워 "야! 한국에서 이 한 개 해 넣는 데 얼만지 아냐."라며 다그치기라도 하면 아래턱을 약간 내밀면서 빠진 이를 보이며 멋지지 않느냐고 하는 아이들이 많다. 그것을 보면 앞니가 빠진 '약간 합죽이' 의 느낌을 주는 듯한 아래턱 선이 이곳 사람들에겐 아름다움의 기준인 모양이다. 앞니가 없어 음식 먹기가 불편하리라는 생각 때문에 나는 아깝다는 마음이 드는데 가만히 따지고 보면 여기엔 오징어나 쥐포, 라면, 사과 같은, 먹는 데 앞니를 특별하게 써야 하는 음식들이 거의 없어 불편할 게 전혀 없다.

재작년에 악대의 새로운 멤버를 뽑아서 가르친 적이 있는데 첫 번째 그룹의 아이들과는 달리 두세 달이 지나도 트럼펫, 클라리넷 그리고 트롬본을 제대로 소리조차 못 내는 아이들이 세 명이나 있었다. '학교 성적도 괜찮고 음악적인 감각이 있는 아이들을 뽑는다고 뽑았는데 참 이상하다.' 라고 생각을 하고 있었는데 두세 달이 지나서야 그 아이들이 갖고 있는 문제의 공통점을 찾아내고는 얼마나 황당했는지 모른다. 그 세 아이들의 공통점은 아랫니가 없다는 것! 아랫니가 없어 밑 쪽에서 악기를 제대로 받쳐 주지 못하니 소리가 날 리가 없는데 그것도 모르고 한심하게 아이들의 재능 탓만 하고 있었던 것이다. 차마 그만두게는 못하고 한 아이를 큰 북, 다른 아이를 작은 북, 또 다른 아이를 심벌즈 쪽으로 즉시 옮겨 주었다.

하지만 요즈음엔 학생들 중에 고르놈을 이마에 긋지 않고 생

◀ 빗을 머리에 꽂은 젊은이.

▲ 나쁜 영을 물리친다는 소똥을
얼굴에 바른 젊은이.

◀ 고르놈 예식을 치른 젊은이.

니를 뽑지 않는 아이들이 조금씩 늘고 있다. 게다가 배우는 '학생' 이기에 그것을 하지 않아도 아이 취급을 받지 않는 풍조가 다행히 조금씩 생기고 있다.

마을에서 세금을 걷는 '마챠르' 라는 50대 초반의 아저씨가 한동안 보이지 않더니 '카르툼' 에서 이빨을 해 넣고 왔다며 큰 입을 자랑삼아 크게 벌리며 갑자기 나타난 적이 있다. 그것을 보면 이곳에서도 세상이 바뀌긴 하는 모양이다.

앞니를 빼는 것과는 달리 머리에 줄 상처를 내는 '고르놈' 을 하는 데는 이유가 있다. 그것은 딩카족의 용맹성을 나타내는 것이고 자기 부족끼리의 고유한 표시인 것이다. 말하자면 아이디카드를 이마에 붙이고 다니는 셈이다. 같은 딩카족이라도 다른 '파' 에 따라 줄의 숫자나 모양이 달라지고 아예 이러한 표시가 없는 부족들도 있기에 이전에(지금도 가끔씩) 부족 간이나 '파' 간의 전쟁 중에 이 '고르놈' 은 적과 아군을 구별하는 데 중요한 역할을 했던 모양이다.

부족의 상징이라고 할 수 있는 이 고르놈에 대한 이들의 자부심은 말도 못하게 대단하다. 부시 마을 안쪽으로 가게 되면 만나자마자 제일 처음 아이들이 물어보는 것이 내 이름인데 항상 내 이름은 '마장딧' 이라고 한다. 몇 년 전 한 노인이 나에게 붙여 준

'딩카' 식 이름이다. 원래는 누런 색깔에 덩치와 뿔이 유난히도 큰 우리나라 황소와 비슷하게 생긴 이곳 '수소' 의 이름인데 부와 힘을 상징하기도 해서 이곳에서 남자들의 이름으로 자주 쓰이는 이름이다. 마장딧이라고 내 이름을 대면 예상치 않은 나의 딩카 식 이름에 아이들은 박수를 치며 웃고 좋아하다가 즉시 "이름은 딩카 이름인데 왜 이마에 고르놈이 없어요?"라고 어김없이 따진다. 그러면 "난 딩카족이 아니라 하느님족이야."라고 말머리를 돌리는데 "하느님족의 고르놈이라도 이마에 있어야 하지 않아요."라며 또 따진다. 그러면 나도 "하느님족의 고르놈은 이마에 새기지 않고 마음 안에 새기는 것이기 때문에 눈으로 볼 수 없다."고 끝까지 맞서면서 어영부영 시작된 말장난이 가끔씩 교리 교육으로 자연스럽게 이어지기도 한다.

사실 '성사' 라는 말의 어원인 '사크라멘토Sacramento' 라는 말도 수천 년 전 귀족들이 자기 소속의 노예나 군인들이 자기 소유라는 것을 표시하기 위해 그들의 등이나 어깨에 찍은 '불 도장' 을 두고 일컫는 말이었다. 그 후 세례성사나 견진성사를 통해서 우리가 우리 것이 아니라 하느님 종의 신분으로 바뀐다고 해서 성사를 '사크라멘토' 라고 부르기 시작했기에 따지고 보면 우리가 세례나 견진성사 때 받는 '인호' 가 바로 이곳 톤즈의 아이들이 성인식 때 이마에 새기는 '고르놈' 과도 비슷한 마음의 신분증이 아닐까 생각한다. 실제로 세례나 견진성사를 준비하는 아이들에게 고르놈을 가지고 성사를 설명하면 그 의미를 아주 쉽게 이해한다.

우리는 누구일까 '증' 을 요구하는 경찰들에게 주민등록증이나 운전면허증을 주면 더 이상 왈가왈부할 필요가 없다. 그것으로 우리가 누구인지 쉽게 알 수 있기 때문이다. 하지만 '증' 에 적힌 우리의 정보들이 '우리' 를 나타내는 '진정한 우리' 일까. 아니라고 생각한다. 그것은 행정적으로 분류된 우리의 겉모습일 뿐 우리의 영적인 상태, 하느님과의 관계 그리고 이웃들을 대하는

우리의 태도 등에 대한 정보는 절대로 제공할 수가 없기 때문이다. 우리에겐 또 다른 신분증이 필요하다. '마음의 신분증' 말이다. 우리의 참되고 투명한 외적인 삶의 모습을 통해 비치는 내적 신분증 때문에 우리가 하느님의 사람이라는 것을 모두가 알아차릴 수 있는 그런 진정한 '고르놈' 말이다.

우리를 전혀 모르는 누군가가 우리의 행동이나 모습을 보고 우리가 진정한 하느님 나라의 시민이라는 것을 알아차린다면 그것은 우리가 진정한 '고르놈'을 지니고 있다는 증거가 아닐까 싶다. 우리의 이런 '마음의 신분증'은 먼 훗날 하늘 나라로 들어가는 데 필요한 입장권으로도 쓸 수 있지 않을까.

유식이도 유죄!

열흘 전쯤이다. 아침 식사 후 한 시간쯤 지났을까, 밖에서 총소리가 나기 시작했다. 전쟁이 끝나긴 했지만 군인들은 실탄을 지니도록 허가되어 있고 미처 반납하지 않은 민간인들의 총기도 많은 편이라 사고든 장난이든 총소리가 가끔 마을에서 들려왔기 때문에 그날도 대수롭지 않게 여기고 있었다. 그런데 이번에는 총소리가 끝나는가 싶으면 이어지고 또다시 조용해졌다가 연발 총소리까지 나기 시작했다. 장난도 사고도 아닌 실제 상황임을 직감으로 느낄 수 있었다. 또다시 전쟁이 났나, 아니면 소도둑들인 딩카족들이 소를 훔치기 위해 습격을 해 왔나, 아니야 아랍인들이 쳐들어왔구나!

몇 달 전에 톤즈에서 북쪽으로 5백 킬로미터 정도 떨어진 '아비예이' 라는 도시를 북쪽 정부군들이 총과 폭탄 세례로 거의 잿더미를 만들었다는 소식을 들었다. 몇 명의 아랍 상인들이 그곳에서 피살되었는데 그에 대한 보복으로 마을 전체를 쑥대밭으로 만들어 놓았던 것이었다. 남쪽에서도 가만히 있을 수가 없는 상황이었다. 당시 군인들을 실은 많은 트럭들이 톤즈의 대로를 지나 그곳으로 수송되어 가는 것을 보며 사태가 꽤 심각하겠다고 생각했던 것이 기억이 났다.

이번에도 '틀림없이 그놈들이야!' 라는 생각이 들었다. 무엇을 어떻게 해야 할지를 머릿속으로 그려 보려 했으나 머리만 멍할 뿐 특별한 방법이 떠오르질 않았다. 일단은 정황을 살펴야겠다는 생각이 들어 밖으로 나왔다. 나와 보니 총소리뿐만 아니라 고함소리, 비명 소리 그리고 우르르 쫓기며 달려가는 소리 등이 들려왔고, 다른 쪽에선 어느 집에 불이 붙었는지 검은 연기가 높이 치솟아 오르고 있었다. 심지어는 수류탄 터지는 소리까지 들려왔다.

급한 상황에 몇몇 학생들과 인근 주민들은 그래도 울타리가 있고 땅이 넓은 수도원 안으로 달려 들어왔다. 마침 병원에는 한 달 정도 봉사하기 위해 이탈리아에서 온 의사들과 간호사들이 있었는데 생전 처음 대하는 상상도 못할 뜻밖의 상황에 어찌할 바를 몰라 안절부절못했다.

병원 건물에서 나와 총소리가 나는 수도원 담장 쪽으로 향했다. 대나무 담장 가까이 이르렀을 때, 담장 밖으로 교복을 입은 수백 명의 학생들이 뭐라고 외쳐 대며 무리를 지어 뛰어가는 모습이 보였다. 다행히도 전쟁이 아니라 학생들의 데모였다는 것을 알고 안도의 한숨이 나왔다. 그러나 데모를 한 이유를 들으니 한심하기도 하고 처량하기도 했다.

지금 톤즈에는 두 개의 초 · 중학교가 있는데 하나는 1천4백 명의 학생들이 다니는 우리 수도원이 운영하는 미션 스쿨이고 다른 하나는 1천5백 명 정도의 학생들이 다니는 공립학교이다. 전쟁 중엔 우리가 운영하는 학교밖에 없었는데 학교 교사들은 다달이 우리가 지급하는 월급(우리 돈으로 칠팔만 원 정도)과 배급하는 약간의 식량으로 겨우 입에 풀칠을 할 수 있는 형편이었다. 그런데 전쟁이 끝나면서 정부에서 십오만 원 정도의 월급을 지급하기 시작해서 선생들의 생활 형편이 두 배로 좋아졌다.

하지만 그놈의 월급이 어떨 땐 두 달 만에 어떨 땐 서너 달 만에 나오곤 했다. 지급이 늦추어지고 밀리긴 했지만 그래도 밀린 만큼의 액수가 제대로 나와서 다행이긴 했다. 일 년 정도가 지나

톤즈에 있는 돈 보스코 초 · 중학교(8학년 과정) 조회 시간.

니 누가 중간에서 가로채는지 늦추어진 월급마저도 중간에서 사라지기도 하고 이런저런 이유로 여러 교사들이 반 정도만을 받게 되거나 아예 명단에서 삭제된 경우도 생겼다. 그러더니 서너 달 전부터는 돈을 지급해야 할 담당관이 아예 나타나질 않았다.

서너 달 동안이나 월급을 받지 못하게 되자 교사들의 생활이 말이 아니었다. 그래도 우리 학교 교사들은 이전에 우리가 지급하던 액수만큼을 계속 받고 있기 때문에 조금 나았지만 공립학교 교사들은 상황이 이렇게 되자 학생들을 가르치지 않기 시작했고 나중엔 학교조차 나오지 않게 되었다.

가뜩이나 전쟁 때문에 늦게 초·중학교를 시작해 한시가 급한 이곳 학생들(초등학교 6학년의 평균 연령이 16세 내지 17세 정도 된다)에게는 큰 타격이고 아픔이었다. 월급이 제대로 지급이 되어도 여러 핑계를 대며 잘 가르치려 하지 않는 것이 이곳 공립학교들의 실정이었는데 월급까지 나오지 않으니, 학생들은 학교에 나와 혹시나 하고 기다려 보지만 선생님 얼굴조차 보지 못하고 집으로 돌아가야 하는 날이 대부분이었다.

바로 이것이 데모의 원인이었다. 공부를 하고 싶어 하는 학생들이 하루 한 시간도 수업을 받지 못하고 있는데 그 근본적인 원인이 정부가 선생들에게 월급을 제대로 지급하지 않기 때문이라는 걸 알고 교육에 관계된 사무실과 관리들을 대상으로 데모를 시작한 것이다.

하지만 문제는 전쟁 중에 자란 이곳 아이들의 표현 행위가 그렇게 평화적이지 못한 데 있었다. 공립학교의 학생들 1천 명 정도가 예고도 없이 몽둥이를 들고 우르르 거리로 뛰쳐나왔고 사람들이 많이 모여 있는 시장으로 가서 판을 엎고 건물을 부수고 물건들을 가져가는 등 폭력을 일삼기 시작했다.

즉시 마을 경찰이 투입되었다. 하지만 몇십 명 되지 않는 마을 경찰들에게 수백 명의 학생들은 역부족이었는지 결코 사용해서는 안 될 것을 쓰고 말았다. 학생들에게 총을 난사한 것이다. 순간 학생들의 무리가 흩어지기 시작했지만 두 명의 아이가 총을 맞고 쓰러졌다. 이것을 본 학생들의 피가 역류하면서 걷잡을 수 없는 상황으로 돌변했다. 학생들은 경찰들을 공격해 총기를 빼앗기 시작했다. 순간 당황한 경찰들은 흩어져 달아나 버렸다.

총을 난사한 군인은 지방 행정관의 경호원들이었기에 아이들은 탈취한 무기를 들고 먼저 지방 행정관의 집으로 쳐들어가 울타리를 부수고 차량과 심지어 집까지 불을 지르고 말았다. 그런데 우연히도 실탄과 수류탄이 그 집 안에 있었기에 집이 불타면서 그것들이 자동으로 폭발해 멀리서 소리만 들은 사람들로 하여

밝게 웃으며 손을 흔드는 돈 보스코 초등학교 아이들.

금 전쟁이 일어난 것으로 착각하게 했던 것이다.

총을 맞은 두 명의 학생 중 아케르라는 열여섯 살 정도의 여자 아이는 우리 병원으로 실려 왔지만 슬프게도 숨을 거두고 말았다. 아이들은 경찰서 건물에 사격을 하며 공격을 했다. 이 같은 상황이 실제 상황이 아닌 영화였으면 좋았으련만 슬프게도 현실이었다.

오후 대여섯 시경에 할 수 없이 군인들이 투입되었다. 거의 5 · 18의 축소판 같은 것이었다. 다행히도 투입된 군인들은 무기를 사용하지 않았다. 오후 6시부터 아침 7시까지 통행 금지령이 내려졌고 온 마을은 쥐 죽은 듯 조용해졌다. 학생들에게서 총기를 빼앗고 다행히 문제들을 조용히 해결하기 시작했다. 지금까지도 겉으로 드러나는 특별한 문제없이 조금씩 해결되어 가고 있음을 느낀다.

사건 당일엔 몇 시간 안에 정신없이 일어난 일이라 아무런 생각을 할 수 없을 정도로 경황이 없었지만 이제 와 생각하니 사건의 끔찍함의 정도가 뼈를 저리게 한다. 학생들의 기본 권리인 배움의 권리를 요구하다 목숨을 잃은 여학생 아케르는 바보 같은 어른들의 실수 때문에 희생된 또 하나의 순진무구한 소녀였다. 그런데 전쟁 중에 죽은 많은 사람들 덕에 죽음에 대해 어느 정도의 적응이 되었는지 이들에겐 한 여자 아이의 죽음은 별 대수롭지 않은 모양이다.

의사로서도 눈 뜨고 보기 힘들 정도의 끔찍한 아케르의 상처가 눈앞에서 좀처럼 사라지질 않는다. 고귀한 인간의 목숨을 대수롭지 않게 간단히 해치울 수 있는 이 병든 사회의 내적 상처의 모습도 혹시 아케르의 상처만큼이나 눈 뜨고 볼 수 없는 끔찍한 상처는 아닐까 하는 생각이 들었다. 하지만 이들만을 나무랄 수가 없다. 전쟁이 원수다. 반세기 동안이나 계속된 전쟁통에서 이곳의 청년들이 유일하게 배울 수 있었던 것은 학교에서의 수학이나 영어가 아닌, 전쟁터에서 내가 죽지 않기 위해 적을 먼저 죽여야 한다는 법이었으니 말이다. 따지고 보면 폭력적인 데모를 선동한 학생들도 그렇고 그들에게 총을 쏜 사람도 그렇다. 모두가 전쟁으로 인해 정신적인 상처를 받은 희생자들이다.

전쟁은 무조건 없어져야 한다. 전쟁으로 희생되는 많은 아이들의 삶이 파괴되는 것을 막기 위해서라도, 도덕적 관념의 파괴를 방지하기 위해서라도 전쟁은 무조건 반대해야 한다. 아니 목숨 걸고 반대해야 한다. 전쟁을 막을 수만 있다면 지구 끝까지 가서라도 밀어붙이며 반대해야 한다.

나환자 마을의 아이들과 함께.

인간 생명의 고귀함을 모르는 '무식이'는 분명히 유죄다. 무식이 자신도 유죄이지만 무식이를 가르치지 않은, 그리고 무식이가 배울 수 있도록 여건을 허락하지 않은 우리 '유식이'도 무죄라고 발뺌할 순 없다.

끝나지 않은 러브 스토리

지난 부활절 즈음 '아북'이 갑자기 나타났다. 인물도 좋고 재능도 많아 사람들이 좋아하던 여자 아이 아북, 작년에 중학교를 마치자마자 집안 어른들에 의해 반강제로 결혼을 해야 했던 아이이다. 소 200마리에 팔려 가 남편을 따라서 나이로비로 이사를 갔다는 소리를 들었는데 소리 소문도 없이 갑자기 나타났다.

매일 미사 시간마다 마이크를 잡고 노래 선창까지 하며 마치 아무 일도 없었던 듯 예전처럼 지내기 시작했다. 처음엔 친정에 잠시 다녀온 것으로 생각을 했는데 한두 달이 지나도록 돌아가지 않는 걸 보면서 분명 문제가 있다는 것을 직감하고 살짝 불러 물어보았다.

아북은 일 년 동안의 사연을 쭉 이야기했다. 나는 이야기를 들으면서 아북이 더 이상 수줍음을 잘 타는 열댓 살의 순진한 소녀가 아니라 세상 풍파에 시달리고 단련된 어른이 되어 있다는 것을 쉽게 느낄 수 있었다.

아북의 고집은 그에게 플루트를 가르칠 때부터 이미 알고 있던 바였다. 아북은 여느 아이들과는 달리 누가 시키지 않아도 몇 번씩이고 잘 불 수 있을 때까지 끝까지 반복해서 연습을 하곤 했다. 아북은 남자 아이들 앞에서도 당당했고 때론 어른들 앞에서조차 끝까지 물러서질 않곤 했는데 정도가 너무 지나쳐 걱정이 될 지경이었다. 그런데 그동안의 이야기를 들으면서 지나칠 정도의 똥고집이 때론 우리가 인생의 목표를 향해 굽히지 않고 달리게 하는 큰 원동력과 같은 에너지원이 될 수도 있겠다는 생각이 들었다.

아북은 중학교를 마칠 때쯤에 같은 반의 '꾸아인' 이라는 아이와 아주 친하게 지냈다고 한다. 꾸아인은 '주르족' 아이인데 반에서도 항상 수석을 하였고 밴드부에서 클라리넷을 연주할 때 악보를 완벽히 읽을 수 있어 새로운 곡의 악보를 던져 줘도 내 도움 없이 몇십 분 만에 연주를 해내던 아주 명석한 아이였다.

꾸아인.

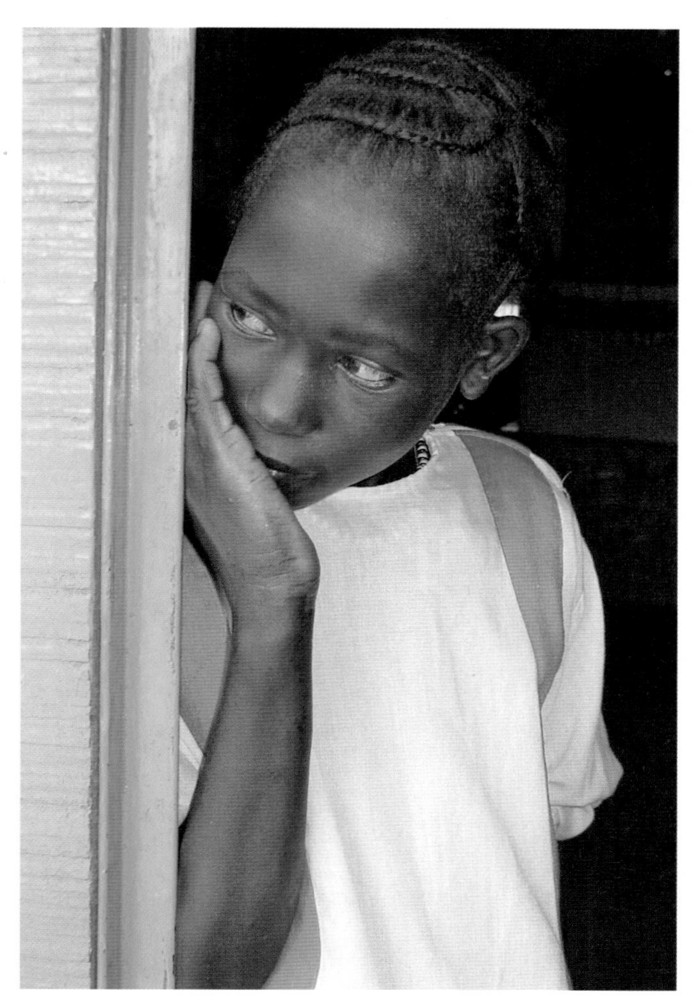

아북.

몇 년 전 처음으로 밴드 합주를 한 뒤 소감문에 "음악도 하느님의 창조물이라고 했던 신부님의 말씀이 이제야 이해가 갑니다. 이렇게 아름다운 음악을 하느님이 창조하지 않았다면 그 누가 창조할 수 있을까요. 총과 무기를 녹여서 트럼펫과 클라리넷을 만들어 톤즈에서 수십 년간 들려오던 총소리 대신 아름다운 음악소리가 울려 퍼지게 하면 얼마나 좋을까요."라는 감동적인 글을 쓴 감성이 아주 풍부한 아이도 바로 이 아이, 꾸아인이었다.

그 둘은 다른 사람들 모르게 사랑에 빠지게 되었고 아북은 꾸아인의 아이까지 갖게 되었다. 하지만 자신들이 맺어질 수 없는 사이임을 두 사람은 잘 알고 있었다. '딩카족' 여자를 맞기 위해선 소를 지불해야 하는데 아북은 중학교까지 마쳤으니 꽤 많은 양의 소를 지불해야 한다. 그러나 딩카족이 아닌 꾸아인의 집은 소도 없었고 홀어머니의 힘으로 겨우 입에 풀칠을 할 수 있을 정도의, 우리의 도움 없이는 학비를 낼 수도 없을 정도의 아주 가난한 집안이었기 때문이다.

아무것도 모른 채 친척집으로 가서 어른들에 의해 미리 계획되어 있던 결혼을 강제로 해야 했던 아북은 그때 벌써 임신 2개월 정도였다 한다. 그것을 혼자서 간직하며 그렇지 않아도 힘들기 그지없던 아북은 다른 사람도 아닌 부모에게 사기 아닌 사기를 당하고 친척들에 의해 보쌈을 당했다는 사실이 말할 수 없이 큰 충격과 분노로 다가왔던 모양이다. 그러나 그 분노가 아무리 크다 한들 열다섯 살인 아북의 힘으로는 오랜 세월 동안 이어져 오는 '문화' 라는 거대한 물살에 맞설 수는 없었다.

현실을 받아들일 수밖에 없었다. 남편 측에서 벌써 200마리의 소를 지불했으니 남편과 같은 방에서 잘 수밖에 없었고 시어머니의 말씀에 복종을 해야 했다. 하지만 다행히도 아북은 자기 앞에 주어진 현실을 하나의 현실로 받아들이긴 했지만 현실과 타협하지 않았다. 그것은 아북의 강한 고집 때문에 가능했던 일이다. 그것은 또한 강한 문화의 물살에 떠내려가던 아북이 잡을 수 있었던 유일한 지푸라기 같은 것이었다. 아북은 첫날밤에 남편 된 사람에게 폭탄선언을 하고 말았다. 결혼식 일정이 모두 끝나고 남편과 단둘이 남았을 때 그때의 상황과 심정, 그리고 앞으로의 결심에 대해 강경하게 이야기를 했던 것이다.

무엇보다도 "사랑하지도 않는 사람과 강제로 결혼을 했으니 사랑에 기반을 두어야 할 정식 결혼이 절대 성립될 수 없다."고 딱 부러지게 이야기를 했고 "사랑하지도 않는 사람과는 절대로 함께 잘 수 없으며, 무엇보다도 일편단심으로 사랑하는 사람이 따로 있고 벌써 그의 아기를 가졌다."는 이야기까지 전부 해 버렸단다.

목숨을 건 위험하기 짝이 없는 폭탄선언이었다. 소를 지불하여 하나의 매매 계약(?)이 이루어진 상태였기에 남편의 입장에서 아북에게 어떠한 짓이라도 할 수 있는 권한이 있었고 또 자칫하면 살인을 마다하지 않는 큰 싸움으로 번질 수 있는 상황이었기 때문이다. 다행히도 그는 사랑을 돈이나 폭력으로 구할 수 없다는 것을 알기라도 했는지 시간을 두고 생각해 보자는 식으로 마무리를 지으며 아북의 이야기를 어느 정도 받아들였다 한다.

그로부터 칠팔 개월이 지난 뒤 아북은 아이를 낳았다. 모든 가족들은 그 남편의 아기로 생각을 했지만 아북과 남편만이 그 아기가 꾸아인의 아기라는 것을 알고 있었다. 일 년이 지나도록 꾸아인에 대한 아북의 사랑이 변하지 않음을 안 남편은 아북과 이혼을 하기로 결정했다. 물론 결혼 때 지불한 200마리의 소는 다시 돌려주어야 한다는 조건하에.

이렇게 아북은 '승리'(?)를 하고 다시 돌아왔다. 아무 탈 없이 잘 지내던, 거기에다 아기까지 낳았다는 아북이 이혼을 한 채 아기를 안고 집으로 돌아왔으니 아북의 집은 마른하늘에 날벼락을 맞은 셈이었다. 무엇보다도 받았던 소 200마리를 다시 돌려주어

길을 지나는 소 떼. 신랑은 신부 집안에 신부 값으로 소를 지불해야 한다.

야 한다는 것이 모든 가족들 특히 부모에겐 감당하기 힘든 일이었다. 하지만 아북의 부모들이 순순히 엄청난 양의 소를 돌려줄 리는 없었다.

그 상황에서 가장 큰 봉변을 당할 수 있는 사람은 누구일까. 그것은 아북도 아니고 아북의 남편도 아니며 아북의 부모도 아닌 바로 꾸아인이었다. 그가 아북의 가족이 소 200마리를 고스란히 다시 넘겨주어야 하는 문제를 일으킨 당사자이기 때문이다.

아북이 돌아온 날 꾸아인은 그 마을에서 사라져 버렸다. 소리 소문도 없이 사라진 꾸아인이 언제 어디로 도망을 갔는지는 아무도 알 수 없다. 괜히 남아 있다가 큰 화를 입을 가능성이 아주 크기 때문이다. 소 200마리를 갚을 능력이 없는 꾸아인이 도망을 가야 한다는 것은 여기선 뻔한 공식과도 같은 너무나도 당연한 것이었다.

이렇게 사라진 꾸아인에게서 어느 날 전화가 걸려 왔다(서너 달 전부터 이곳에 새로운 통신망이 생기면서 휴대 전화 사용이 가능하게 되었다). 자신은 아북이 돌아온 날 저녁 북 수단의 아랍인들 지역인 '냘라' 라는 곳으로 도망을 와 지내고 있다는 것이다. 그 먼 곳으로 도망간 것은 아북의 가족들이 손을 쓸 수 없는 곳으로 피해 간 것도 있지만 아북을 자기가 데려오기 위해 지불해야 할 200마

주식인 수수를 전통 방아에 넣어 찧는 소녀.

리의 소를 준비하기 위한 것이 또 다른 이유라고 했다. 냘라라는 곳은 대량 학살로 신문지상에 자주 보도되었던 '다르푸르' 지역의 한 도시인데 비정부단체들이 많아 영어를 할 줄 아는 꾸아인이 임금 높은 직장을 쉽게 구할 수 있는 그런 곳이었다.

꾸아인은 "아북이 스스로 원해서 다른 사람에게 시집을 가면 할 수 없지만 자기를 기다려 주기만 한다면 십 년이 걸리더라도 200마리의 소를 준비해서 꼭 데리러 오겠습니다."는 것을 아북에게 반드시 전해 달라고 신신당부하며 울먹였다. 그것을 전해 들은 아북도 울먹이며 언제까지든 그렇게 기다리겠노라고 전해 달라고 했다.

아무리 임금이 높다 한들 200마리의 소 값을 준비하기 위해서 얼마나 오랫동안 고생해야 하는지 꾸아인은 알고 있을까 하는 의구심이 들었지만 첫사랑을 위해 자신의 젊음을 바칠 비장한 각오를 한 꾸아인도 그렇고, 진정한 사랑을 위해 멀고 험한 길을 마다하지 않고 홀로 싸우며 걸어온 아북도 대견스럽기 그지없다.

이 세상에는 눈에 보이는 물질이 아닌 눈에 보이지 않는 순수한 것들에 더 큰 가치를 부여하고 그것을 목숨처럼 소중히 생각하는 사람들이 있다는 것이 얼마나 다행스러운 일인가. 이러한 드러나지 않는 '홀로 투쟁들'은 이 세상을 좀 더 가치 있는 세상으로 변화하게 하는 강한 힘이 아닐까. 첫사랑의 진실되고 순수함에 가치를 부여하는 사람들도 그렇고, 무엇인가를 시작할 때의 '초심初心' 의 향수에 가치를 두는 사람들도 그렇고, 신앙의 순수함을 지키기 위해 고군분투하는 사람들도 그렇다.

하지만 무엇보다도 강한 힘을 지닌 것은 그 가치 있는 순수한 것들을 물질주의가 만연한 이 세상으로부터 지키기 위해 목숨 걸고 싸우는 사람들의 고귀한 '똥고집' 이 아닌가 하는 생각이 든다.

톤즈의 견우와 직녀가 만날 칠월 칠석이 정말 찾아올지 그리고 그것이 언제일지는 모른다. 하지만 순수하고 참된 가치에 목숨을 걸고 싸우는 두 남녀의 반듯하고 고귀한 '사랑' , 아북의 '똥고집' 그리고 꾸아인의 앞뒤 재지 않는 '비장한 각오' 가 칠월 칠석의 만남 그 자체보다 더 아름다운 가치를 지닌 그 무엇이 아닌가 하는 생각을 해 본다.

엘에이의 사랑 잔치

올해 초 미국 캘리포니아 한인 성령 쇄신대회 측으로부터 강사 초청 메일을 받고 한참을 망설였다. 수단 촌놈이 수천 명의 사람들 앞에서 그것도 다른 나라도 아닌 미국에서 강의를 해야 한다고 생각하니 선뜻 용기가 나질 않았다. 무엇보다도 개인적으로 별로 경험이 없는 성령 쇄신대회라는 것 때문에 더더욱 망설였다. 2주 동안 고민한 뒤 시간도 많이 남은 터라 걱정은 나중에 하기로 하고 일단은 하겠다고 대답을 해 버렸다.

개인적으로 여러 나라의 문화와 사람들의 삶 모습, 특히 삶 속에 스며든 예술적인 아름다움에 특별한 관심이 있어 만약 먼 훗날 시간과 여유가 있다면—물론 이젠 너무 늦었다고 생각되긴 하지만―북유럽과 남미의 여러 나라들을 여행하고 싶다는 생각을 한 적이 많았다. 하지만 미국만은 그렇지 않았다. 막연한 반미 감정 때문인지 아니면 미국이라는 나라가 유럽이나 다른 대륙의 역사 깊은 나라들에 비해 그 나라 고유의 특징 같은 것이 없다는 생각 때문인지 모른다. 아무튼 가겠다고 대답은 했지만 썩 내키지는 않았다.

케냐의 미 대사관에서 비자를 받으면서 '생각대로 콧대가 꽤나 높은 나라구나.' 라는 생각이 들었다. 비자를 받게 되든 못 받게 되든 상관없이 인터뷰 신청만을 하는 데 150달러 정도를 그것도 지정된 은행에 내고 그 영수증을 받아 와야 했고 여러 복잡한 서류를 준비해서 아침 일찍 달려가 건물 밖에서 줄을 선 채 한참을 기다려야 했다. 겨우 건물 안으로 들어가는가 싶더니 번호표만 받고 자기 그룹이 불릴 때까지 다시 밖에서 기다려야 했다.

실내로 들어가 차례를 기다리며 인터뷰하는 사람들을 보니 열 명 중 일고여덟 명은 퇴짜를 맞고 집으로 돌려 보내졌다. 남의 일 같지가 않았다. 줄을 서서 기다리면서 미국에서 보내 주는 '초청 편지' 를 준비하지 않았다는 생각이 갑자기 들었다. '미국에서 많은 사람들이 기다리고 있을 텐데 못 받으면 어떡하지?' 하는 불안한 심정으로 인터뷰 창구 앞으로 불려 가며 도움이신 마리아께 화살기도를 올렸다. 10분간 이것저것을 물어보는데 다행히 초청 편지에 대해서는 문제를 삼지 않았다. 걱정과 달리 4일 후 비자를 발급받고 같은 날 저녁에 미국행 비행기를 탈 수 있었다.

케냐에서 런던을 거쳐 로스앤젤레스로 가는 30시간 이상의 긴 여행이었다. 비행기 안에서 주위를 둘러보니 여름휴가를 떠나는 것처럼 보이는 승객들 대부분이 백인들이었다. 백인들의 얼굴색은 까만색에 익숙한 나로 하여금 다른 세상에 와 있다는 것을 즉시 느끼게 해 주었고 조금씩 주눅 들게 했다. 화려한 복장의 스튜어디스들이나 세련되고 질 높은 기내 서비스를 받으면서는 내가 마치 초호화 유람선 타이타닉호를 타고 있는 것 같은 착각이 들 정도였다. 아무튼 수단에서 미국으로 가는 여행은 '신석기 시대' 에서 '슈퍼 포스트모더니즘의 세계' 로 향하는 타임머신을 타고 가는 느낌의 여행이었다.

드디어 미국에 도착했다. 세계 최고의 경제 대국인 미국! 하지만 공항에서 보이는 많은 한국 사람들, 거기에다 한국어로 방송되는 안내 방송 등은 내가 미국이라는 외국에 온 것이 아니라 고국에 온 것 같은 착각이 들게 했다. 더구나 형님 신부님을 비롯한 마중 나온 한국 형제자매들을 만나니 정말 인천 공항 같은 느낌이었다.

아이들과
함께 간 소풍에서
수영을 하고 난 뒤
아이들을 위해 만든
특별 요리 불고기.

행사 하루 전날 행사장에 들렀다. 200명이나 되는 많은 봉사자들이 일사불란하게 준비를 하고 있었다. 규모나 준비 상황을 보니 가히 20여 년의 역사를 가진 아주 큰 성령대회라는 것을 피부로 느낄 수 있었다.

드디어 행사 당일! 2,000석의 자리를 꽉 채운 많은 형제자매들의 모습을 무대 위에서 보니 그 수에 또다시 기가 죽어 '내가 괜히 오겠다고 약속을 했구나!' 라는 생각이 들며 슬며시 후회가 되었다. 그래도 엎질러진 물! 어떻게 하겠는가? 첫마디로 "저는 솔직히 말해서 성령대회 경험도 없고 근처에 가 본 적도 없는 문외한입니다. 저는 그냥 아프리카 수단에서의 제 삶에 대한 이야기만을 할 텐데 성령의 전문가들인 여러분이 알아서 성령을 찾으시길 바랍니다!"라고 선수를 치면서 강의를 시작했다.

그들은 정말 성령 전문가들이었다. 서너 시간의 내 강의 동안 '성령' 이라는 말이 네댓 번 정도 나왔을까? 하지만 그들은 내 삶 속에서 활동하시는 성령을 알아채고 느끼고 있는 것 같았다. 그들의 눈은 서서히 빛나기 시작했고 눈가에 맺힌 이슬은 투명한 보석과도 같았다. 그들은 내 보잘것없는 이야기를 마치 물을 빨아들이는 스펀지처럼 흡수하고 있었다. 생전 처음 그것도 머나먼 외국에서 만나는 그들이었지만 어느덧 하느님 안에서 우리는 일치되고 있음을 느낄 수 있었다. 그 순간의 일치와 일치된 시간 안에서 느껴지는 행복한 전율은 내 능력도 그들의 능력도 아닌 바로 성령의 힘에 의한 것이었다는 것을 나는 분명히 느낄 수 있었다.

많은 사람들이 그날을 위해 몇 달 또는 몇 주를 준비해 왔다고 한다. '기적을 위한 행사 준비' 가 아닌 '예수님을 만나기 위한 깨끗한 영혼의 준비' 를 하고 있었다는 걸 그들의 모습에서 쉽게 느낄 수 있었다. 예수님을 모시기 위해 피정이나 9일 기도는 물론이고 총고백을 하면서까지 최대한 맑고 깨끗한 영혼의 상태를 유지하려 했다는 그들의 모습을 보면서 감동하지 않을 수 없었다. 그들은 사막에서 생명의 물을 찾듯이 하느님을 애타게 목말라 하는 이들이었고, 그들은 삶 속에서 하느님을 만나는 것이 정말 소원인 사람들이었다. 그들을 보면서 사제인 내가 과연 이토록 하느님을 그리워하고 갈망한 적이 있었는지 저절로 반성이 되었다.

하느님을 애타게 그리워하는 사람들에게 그날 하느님은 외면치 않고 기꺼이 오셨다. 아주 듬뿍, 소나기처럼 말이다. 정말 기적이었다. 많은 사람들이 하느님께서 우리 자신들 한 명 한 명을 얼마나 사랑하시는지를 느꼈고, 그 퍼붓는 엄청난 사랑을 주체하지 못하고 회개와 기쁨의 눈물을 흘리며 새로운 삶을 살겠다고

봉고족 공소에서의 미사 시작 전 풍경.

깊이 다짐하는 많은 사람들의 내적 변화가 바로 엄청난 기적이 아니고 무엇이겠는가?

행사가 끝난 후 많은 사람들을 만났다. 물질적인 도움을 건네면서도 오히려 쑥스러워하고 미안해하던 형제자매들의 모습 속에서 겸손하신 예수님의 모습을 발견할 수 있었고 남에게 쉽게 이야기하지 못할 어려움과 고통을 털어놓으며 기도를 부탁하던 이들의 모습에선 가시관 쓰신 예수님의 모습을 발견할 수 있었다. 그리고 마음에 오신 예수님 때문에 더 이상 이전처럼 대충 살지 못하고 아파하고 고민하고 괴로워하는 많은 이들의 모습에선 고통이 따를 수밖에 없는 십자가의 길을 걸으시는 예수님을 발견할 수 있었다. 아프리카에서 고생한다며 한술이라도 더 먹이기 위해 음식 보따리를 들고 수도원 사제관을 찾아와 챙겨 주던 이들의 보따리에선 음식뿐만 아니라 따뜻한 위로와 사랑이 함께 담겨 있음을 발견할 수 있었다.

생전 처음 갔던 로스앤젤레스였지만 로스앤젤레스 공항을 들어갈 때와 떠나올 때의 마음은 너무나도 달랐다. 공항을 떠나오는 날 왜 그렇게도 마음이 허전하고 텅 빈 느낌이 들었는지……. 꼭 몇십 년 정들었던 고향을 떠나오는 아쉬운 느낌이었다.

나에게 로스앤젤레스는 더 이상 외국의 한 도시가 아니라 마음의 한 고향으로 남아 있을 것 같다. 그것은 하느님 안에서 일치된 그곳의 형제자매들의 특별한 관심과 사랑 때문이리라.

고향은 장소보다도 마음이 아닌가 하는 생각이 든다. 친가와 선산이 있고 부모님이 계신 곳이기에 그곳이 고향이라고 할 수도 있지만 그보다도 그곳에 가족들의 얼과 부모님의 사랑이 있기에 우리는 그곳을 고향이라고 부르는 것이 아닐까.

이런 걸 보면 우리의 진정한 고향, 그리고 영원한 고향은 형제자매들의 사랑이 있고 하느님의 얼과 사랑이 넘치는 곳, 바로 '하늘 나라'가 진정한 고향이 아닐지……. 고향을 그리워하는 것이 인간의 본성이라면 천국을 그리워하는 것도 인간의 본성이고 그때가 가장 인간답고 아름다운 모습이 되는 순간이 아닐까 하는 생각이 든다.

하늘 나라 꾸쥬르!

이곳에서는 처녀가 임신했을 경우 아이의 아버지가 누구인지 솔직히 말하는 경우도 있지만 실제로 모르는 경우도 흔히 있고 여러 가지 이유로 일부러 말하지 않는 경우가 더 많다. 솔직히 말하는 경우 남자는 그 여자와 결혼을 하든지 아니면 네 마리에서 일곱 마리의 소를 벌금으로 내야 한다. 그렇게 해서 모든 것이 끝나고 처녀가 아이를 낳게 되더라도 그 아이는 여자 집안에 속하게 된다.

아이의 아버지가 누군지 모를 경우엔 아이가 분만되어 나올 때까지 기다리면 된다. 산통이 시작되고 분만이 시작될 때 산모가 아이 아버지의 이름을 크게 불러야 하기 때문이다. 왜냐하면 아버지의 이름을 솔직히 말하지 않으면 아이가 죽든지 산모가 죽든지 둘 중 하나가 큰 화를 입는다고 모두가 굳게 믿기 때문이다. 그래서 아이가 나올 땐 가족들이나 친척들이 증인으로 많이 모이게 된다. 인간이 달나라와 화성을 왔다 갔다 하는 요즘 세상에 어떻게 이러한 것들을 아직도 굳게 믿는지 신기하기만 하다. 이들은 이런 미신적인 것에 대한 믿음뿐만 아니라 꾸쥬르(무당과 주술사를 합친 격인 사람)에 대한 믿음 또한 상상을 초월할 정도다.

몇 년 전 우리 병원에서 일하는 간호사의 딸인 일곱 살의 '바끼따' 라는 아이가 한밤중에 병원으로 실려 왔다. 열은 높지 않았지만 의식이 없었고 눈 흰자위를 보이며 심하게 경련을 일으키고 있었다. 검사를 해 보니 중증의 말라리아였는데 그동안 말라리아로 발작을 일으키는 환자를 많이 보아 왔지만 그렇게 심한 발작은 처음 보았다.

경련이 오래가면 그것만으로도 산소가 부족해 아주 위험하기에 급히 발륨(항경련제)을 주사한 뒤 심하게 뒤트는 몸과 팔을 남자 몇 사람이 꼭 붙잡게 하여 수액을 놓고 거기에다 말라리아 약인 퀴닌을 급하게 섞어 넣었다.

주사가 들어간 지 30분이 지나도 경련이 멈추기는커녕 점점 더 심해 갔다. 혹시 마귀 들린 것이 아닌가 하는 생각이 들 정도로 심하게 경련을 일으켰다. 계속 증상이 호전되지 않자 아이의 엄마와 아버지가 찾아와 말라리아가 아니라 앙심을 품은 한 조상신의 장난이라며 꾸쥬르에게 데려가겠다고 말을 했다.

부모의 심정을 이해할 수는 있었지만 그래도 배울 만큼 배운, 병원에서 일하는 간호사인 엄마가 그런 말을 하니 어이가 없었다. 그렇게 데려가면 분명히 죽을 것이 뻔했기에 아버지를 불러 딱 30분만 더 기다려 달라고 사정을 했더니 다행히 그렇게 하겠다고 했다. 발륨의 양을 늘려 주사한 후 초조하게 기다렸다. 25분 정도가 지나자 다행히도 경련이 조금씩 가라앉기 시작하더니 결국엔 잠이 들어 버렸다. 정말 식은땀이 나는 아찔한 순간이었다. 호흡도 좋아지면서 조금씩 호전되는 것 같아 혹시 상태가 좋아지지 않으면 다시 부르라고 부탁을 해 놓고 내 방으로 돌아왔다.

다음 날 아침 진료실의 문을 열고 그 아이가 궁금해 입원실에 가 보려던 참이었는데, 한 여자 아이가 내 진료실에 조용히 얼굴을 내밀며 미소를 짓는 것이 아닌가! 그 아름다운 미소의 주인공은 다름 아닌 어젯밤 온몸을 뒤틀며 사경을 헤매던 바끼따였다. 그 아이는 고맙게도 그렇게 일어나 주었고 집으로 돌아가기 전에 고맙다고 인사를 하기 위해 온 것이었다. 그 아이의 회복은 단순한 병으로부터의 회복을 넘은, 이곳 사람들에게 질병과 의학 그리고 꾸쥬르에 대해 다시 생각해 볼 수 있게 한 의미 있는 "탈리타 쿰"(마르 5,41) 같은 것이었다.

의약품이라는 것이 이곳에 들어오기 전까지는 사람들이 이용하던 몇 가지 약초나 뿌리를 제외하곤 꾸쥬르들이 거의 의사 역할을 해 왔다. 그래서 그들에게 고마운 마음도 있고 이러한 전통적인 사고방식을 이해 못 하는 것도 아니지만 문제는 꾸쥬르들이 질병을 악신이나 조상 또는 친척 영들의 보복과 연결한다는 데 있다. 그러다 보니 근거도 없이 서로 불신하게 되고 때로는 크게 싸우기까지 한다. 또한 그러한 것을 들먹이며 소나 양들을 희생제물로 바친다는 빌미로 많은 재산을 뜯어내기도 한다.

더 심한 것은 사이가 좋지 않거나 보복을 하고 싶은 사람이 있으면 그들에게 액운을 불어넣기 위해 꾸쥬르를 찾아가 돈이나 소를 지불하고 일부러 부탁하는 경우가 꽤 있다는 것이다. 많은 복채를 주면 주술을 넣어 때로는 그냥 사람들을 죽일 수 있다고 철석같이 믿는다는 것이 문제의 근본 원인이다. 이러한 것들 때문에 사람들이 되도록이면 다른 사람과 원수를 지지 않으려 하는 장점이 있기도 하다. 그중의 하나는 아무리 끼니가 부족하고 먹을 것이 다 떨어져 가는 상황에서도 친척이나 이웃 심지어는 모르는 사람이 방문하면 절대 거절하지 못하고 할 수 없이 먹을 것을 나눈다는 것이다. 이곳의 문화로는 그 사람들을 박대해서 내보낸다는 것은 상상도 못할 일이다. 이웃과 서로 나누는 좋은 문화인 것 같기도 하지만 그렇게 하지 못하는 진짜 이유는 박대를 받은 사람들이 언제 앙심을 품고 꾸쥬르를 사서 복수할지 모른다는 생각 때문이다.

병원을 찾아오는 중증 말기 환자의 대부분이 용하다는 꾸쥬르를 찾아 이곳저곳 헤매다 마지막으로 병원에 찾아오는 경우가 많은데 이렇게 죽기 직전에 찾아오는 환자들을 치료한다는 것은 보통 힘든 일이 아니다.

한번은 '치콤' 이라는 청년이 병원에 실려 왔다. '마비오리얍' 이라는 마을 족장의 장손이었기에 실려 오는 날 오십 명 이상의 친지들이 함께 떼를 지어 병원에 왔다. 치콤은 몸이 심하게 마비된 상태였고 정신도 나간 듯 멍하게 바라볼 뿐 말도 하질 못했다. 이야기를 들어 보니 오기 전 벌써 이곳저곳의 용하다는 여섯 명의 꾸쥬르에게 다녀왔단다. 그들에게 바친 소만 해도 육십 마리, 염소가 삼십 마리 정도였는데 낫기는커녕 점점 더 심해지자 마지막 지푸라기라도 잡는 마음으로 할 수 없이 병원에 찾아왔다는

꾸쥬르가 소를 제물로 바치는 민간 예식 장면을 학생들이 연극으로 재현하고 있다.

것이다. 증상을 보니 뇌막염 같았는데 병이 시작된 지가 한 달이 넘었다고 했다.

강한 항생제를 계속 정맥으로 투여하긴 했지만 경과가 너무 지나 회복 가능성이 낮아 나도 거의 포기한 상태였다. 위 속과 연결된 튜브로 묽게 쑨 죽을 넣어 주며 팔다리를 부모들로 하여금 주무르게 하는 식으로 물리 치료까지 해 주었다. 그렇게 2주 정도가 지나자 치콤은 조금씩 움직이기 시작했고 어눌하지만 말도 하기 시작했으며 음식도 조금씩 넘기기 시작했다. 한 달 정도가 지나자 믿지 못할 만큼 많이 좋아져 혼자 걸어서 퇴원을 할 수 있을 정도가 되었다.

퇴원한 다음 날 부족장인 치콤의 아버지가 50여 명의 부족 사람들을 거느리고 병원으로 찾아왔다. 딩카족의 전통으로는 특별한 경우 아니면 절대 선물을 하지 않는 집채 만한 크기의 황소를 두 마리씩이나 몰고 말이다. 전신이 마비되어 말을 하지 못하던 아들이 죽은 줄로만 알았는데 다시 살려 줘서 고맙다며 큰 황소 두 마리를 장엄하게 건네주러 온 것이다. 따라온 사람들은 뒤에서 기쁨의 함성을 지르며 춤을 추는 등 마치 감사 예식이나 결혼식과도 같은 큰 잔치 분위기였다. 마음으로는 몰라도 웬만하면 절대 감사하다는 표현을 하지 않는 사람들이라 황소 두 마리는 그들에게 엄청난 의미를 지닌다는 것을 알기에 코끝이 찡해 왔다. 하지만 그 선물을 받을 사람은 내가 아닌 바로 하느님이시다. 내가 한 것이라곤 단지 항생제를 투여한 것밖에 없었고 죽어 가던 아이를 소생시킨 분은 하느님이셨음이 너무나도 분명했기 때문이다.

아직도 꾸쥬르를 믿는 꾸쥬르 신도들이 엄청나게 많다. 이것은 그리스도교가 이 사회를 뚫고 들어가는 데 큰 장애물임에 분명하다. 하지만 다른 한편으론 눈에 보이지 않는 무언가에 대한 갈망이나 강한 믿음은 그 자신들에게 큰 장점일 수도 있다. 정신적인 것들에 많은 가치를 부여한다는 것을 보여 주는 것이고, 그러한 사고는 영성적인 것을 우선시하는 그리스도교를 이 사람들에게 심어 주는 데 조금이나마 도움이 될 수 있기 때문이다.

교리 시간에 아이들에게 꾸쥬르에 대한 이야기를 통해 하느님에 대해 설명을 하면 정말 쉽게 이해하는 눈치이다. 하느님은 꾸쥬르 같은 미움의 신도 아니고 복수의 신도 아닌, 오직 사랑을 못해 안달하시며 인간에게 뭐든 더 주고 싶어 하시는 분으로, 인간에 대한 사랑 때문에 당신의 외아들을 희생 제물로 바치신 오직 한 분의 신이라고 설명하면 아이들은 "하느님은 정말 하나밖

에 없는 좋은 꾸쥬르구나." 하고 말하며 쉽게 이해를 한다.

이곳에 제일 먼저 온 선교사는 하느님이 아닌가 싶다. 이들의 문화 속에 당신을 오묘하게 계시하시는 하느님의 흔적을 발견할 수 있기 때문이다. 하느님은 전부터 이들의 문화 속에 슬그머니 복음화의 밑거름을 뿌려 놓으신 것이다.

식량인 식용유, 수수 등을 배급받기 위해 이른 아침부터 줄을 서서 기다리는 마을 사람들.

가슴속 추억을 나누다

이태석 신부

• 1962년 9월 19일 부산 출생 • 1987년 인제대 의과대학교 졸업 • 1991년 살레시오회 입회 • 1992년 광주 가톨릭대학교 입학 • 1994년 첫 서원 • 1997년 로마 유학(교황청립 살레시오 대학교) • 2000년 종신 서원(로마), 부제 서품(로마) • 2001년 사제 서품(서울), 아프리카 수단으로 출국 • 2005년 제7회 인제 인성대상 수상 • 2008년 11월 휴가차 입국 후 대장암 3기 판명 • 2009년 제2회 '한미 자랑스런 의사상' 수상 • 2010년 1월 14일 선종

『울지마 톤즈』 제작 이야기 •••

이 글은 수단어린이장학회 계간지 『슈쿠란바바』(2010년 여름호)에서 옮긴 내용으로, 필자가 『KBS스페셜 울지마 톤즈』를 제작하면서 느꼈던 감회를 적은 글입니다.

"사랑하는 국민 여러분."

선거철만 되면 TV 화면에서 많이 듣는 말이다. 그 말을 진심으로 받아들이는 국민은 얼마나 될까. 그들은 진정한 사랑의 의미를 알고는 있는 것일까. 사회는 물질만능주의로 흐르고 남보다는 자신만을 생각하는 이기심이 판을 치고 있다. 이태석 신부의 삶이 더욱더 충격으로 다가오는 것도 이 때문이 아닐까?

방송인에게는 감感이라는 것이 있다. 시청자들의 관심이 집중되고, 사회적으로 가치가 있는 소재를 찾아내는 감각을 말한다. 지난 1월 인터넷에서 신부님의 선종 소식을 우연히 접했다. 당시에는 다른 아이템을 취재 중이었는데 신부님 관련 기사를 보자 바로 감感이 왔다. 왜 의사라는 화려한 직업을 버리고 신부님이 되었을까. 누구도 가기 싫어하는 아프리카에서도 가장 가난한 나라를 찾아간 이유는 무엇일

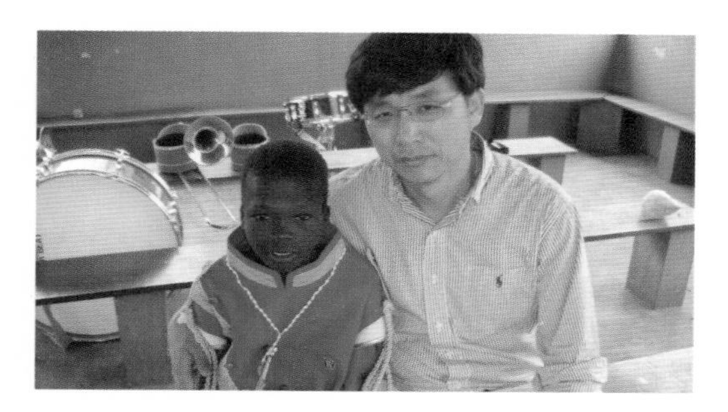

톤즈의 한 소년과 구수환 PD.

까. 『KBS스페셜 울지마 톤즈』는 바로 이러한 궁금증에서 시작되었다.

마흔여덟의 길지 않았던 삶이었지만 자료를 검색하고 지인을 통해 들은 이야기는 한 시간으로는 턱도 없이 부족하다는 생각이 들었지만 일단 취재를 시작했다. 가장 먼저 만나 보고 싶었던 분은 아들에 대한 사랑이 누구보다도 깊었을 어머니였다. 그러나 아들을 떠나보낸 지 보름도 되지 않아 몹시 부담스러웠다. 고민 끝에 부산에 있는 신부님의 형인 '이태영' 신부를 찾아가 인터뷰 의사를 전달했다. 일주일 후 가능하다는 연락이 왔다. 어머니를 만나던 날은 하얀 눈이 세상을 뒤덮었다. 혹시 인터뷰를 하다 감정을 이기지 못해 예기치 않은 상황이 올 수도 있다는 걱정 때문에 두 분의 누나와 이태영 신부가 자리를 함께했다. 어머니는 어린 시절 신부님에 대한 기억, 의대에 진학했을 때의 기쁨, 사제가 되겠다는 아들과의 갈등, 아프리카로 선교를 떠난다는 소식을 들었을 때의 놀라움, 딸 하나와 아들 둘을 하느님께 바친 어머니의 솔직한 심정을 들려주었다. 어머니는 아들 이야기를 하며 눈물이 끊이질 않았다. 건강검진 이야기를 할 때는 너무나 후회스럽다며 오열했다. 더 이상 인터뷰를 하는 것이 무리라고 판단해 1시간 만에 서둘러 끝냈다. 신부님과 가까이 지냈던 분들을 찾아나섰다. 그분들 역시 신부님을 눈물로 기억하고 있었다. 인제대에 근무하는 예순이 넘은 의사 선배 한 분은 암을 미리 진단하지 못한 것은 자신들의 잘못이라며 울먹였다. 국내 취재를 끝냈을 때는 나 자신도 이미 신부님에게 깊이 빠져들어 있었다.

[……] 서울을 떠난 지 2박 3일 만이다.

톤즈는 왕복 2차로 비포장도로를 사이로 허름한 판자촌이 들어서 있는데, 이곳이 상가다. 최근에는 인근에 있는 룸벡, 와우, 멀리는 우간다에서 차를 이용해 물건을 가져온다고 한다. 그러나 물건을 사는 사람들이 거의 없다고 한다. 상가 뒤쪽으로 집들이 있는데 나뭇잎으로 지어진 아프리카 전통 가옥이다. 흙바닥에 삐걱거리는 침대, 검게 그을린 찌그러진 그릇 몇 개가 고작이다. 전기는 없다. 식수는 마을마다 공동 펌프를 만들어 사용하지만 주변 환경이 너무나 지저분했다. 그래도 신부님이 처음 왔을 때와는 비교가 되지 않을 만큼 발전했다고 한다. 이런 곳에 유일하게 전기가 들어오고 넓은 운동장과 벽돌로 지어진 건물이 있다. 바로 신부님의 흔적이 가장 많이 남아 있는 돈 보스코 집이다. 어느 곳 하나 신부님의 손길이 안 닿은 곳이 없다. 톤즈의 유일한 농구대는 폭격으로 파괴된 건물 기둥을 철근으로 감아 만들었고, 남녀 기숙사, 아이들에게 문명 세계를 보여 주기 위해 만든 비디오 감상실도 신부님의 작품이다. 이 가운데 병원과 결핵 병동은 신부님의 톤즈에 대한 사랑을 느낄 수 있는 곳이다. 2년 전 신부님이 이곳을 떠나기 전만 해도 환자들로 북적거렸다. 그러나 지금은 인적이 거의 없어 적막감만 흘렀다. 입원실은 모두 잠겨 있고, 여자 간호사 한 사람이 간단한 약 처방을 해 주며 오후 1시까지 근무하고 있었다. 진료실 안으로 들어서자 서랍장 위쪽에 먼지가 뽀얗게 쌓인 장부들이 보였다. 진료 기록이었다. 환자의 나이, 병명이 빼곡히 적혀 있었다. 이곳에서 1년 동안 의료 봉사를 했던 신경숙 님은 환자가 많을 때는 하루에도 200-300명이 되었다고 한다. 한 달 동안 이곳을 방문했던 박진홍 신부는 자신이 목격했던 일화를 다음과 같이 소개한다.

"한번은 병원에서 근무를 서던 학생이 신부님 숙소 방문을 두드리면서 뭐라고 이야기를 하니까 신부님이 밖으로 나가시더라고요. 그래서 좇아나갔죠. 병원에 도착하니 13살 된 아이하고 아버지가 있었는데 아이는 다리만 조금 저는 것 같고 크게 아파 보이지는 않았습니다. 그런데 신부님이 치료를 하면서 뭐라고 물어보더니 굉장히 당혹스러운 표정을 짓더니 어디론가 가서 음식을 마련해 먹이더라고요. 무슨 일이냐고 물었더니 아이가 다리가 부러졌는데 5일 동안 아무것도 안 먹고 100km를 걸어왔다는 겁니다. 맹수라도 만나면 죽을 수 있는 상황인데 말이죠. 100km 떨어진 곳에서도 신부님의 명성이 알려졌던 거죠."

진료실에는 톤즈 주민들에 대한 신부님의 지독한 사랑(?)을 확인할 수 있는 것이 있다. 약을 보관하는 냉장고와 초음파 기자재였다. 냉장고를 열어 보니 백신이 가득 담겨져 보관 중이었다. 전염병이 많은 이곳에서 백신의 중요성은 절대적이다. 신부님은 백신을 보관하기 위해 태양열 발전 시설을 구입해 직접 설치했다. 전기 용량이 부족하지만 냉장고만큼은 24시간 끊기지 않도록 하였다. 초음파 기계는 신부님이 산모들을 위해 한국에 와서 구입한 것이라고 한다. 부산에서 산부인과 개업을 하고 있는 의사 친구는, 이 신부님이 휴가 때 자신의 병원에 와서 제왕절개수술, 애를 받는 방법을 배워 갔다고 했다. 톤즈에서는 아이를 낳을 때 산파가 있는 조산원을 이용하지만 그곳에서 감당이 안 되는 위급한 환자들은 곧장 이곳으로 보내졌다고 한다. 그런 병원이 문을 닫았다. 신부님이 떠난 후 사람들이 매일같이 병원을 찾고 있다. 병원을 촬영하고 있는데 우두커니 서 있는 두 명의 중년 여성이 보였다. 의사도 없는데 왜 이곳에 있는지를 묻자 쫄리 신부님을 부르며 울기 시작했다. 자신의 아이를 받아 준 신부님의 죽음을 믿지 못하겠다며 몇 시간 동안 그곳을 떠나지 않았다. 2010년 톤즈는 큰 슬픔에 잠겨 있었다.

톤즈에 오기 전 신부님의 친형인 '이태영' 신부를 부산 기장군의 한 성당에서 만났다. 성당으로 들어가는 골목길에 '촬영 금지' 라는 경고 문구가 보였다. 바로 한센인들이 모여 살던 마을이었다. 이태영 신부는 동생이 의사의 길을 버리고 사제의 길을 택한 데는 '다미안 신부'의 영향이 가장 컸다고 말했다. 초등학교 5학년 때 성당에서 '다미안 신부' 일대기를 다룬 영화를 함께 보고 나왔는데 동생이 그런 삶을 살겠다고 다짐했다고 한다. '다미안 신부'는 한센병 환자들이 모여 살던 하와이 근처 '몰로카' 섬에서 한센인의 상처받은 마음을 위로해 주다 자신도 한센병에 걸려 49세의 나이로 세상을 떠났다. 우연의 일치인지는 모르지만 신부님도 수단의 한센인들을 지극 정성으로 보살피다 48세에 하느님의 품에 안겼다.

돈 보스코 집에서 차로 비포장도로를 40여 분 달려가면 인적이 드문 곳에 벽돌로 지어진 건물 네 채가 있다. 지하수를 끌어올린 펌프 시설도 있다. 몇 년 전만 해도 쓰러져 가는 초가집에 지하수는 상상도 못하던 곳이다. 모두 신부님의 덕택이다. 차 소리가 들리자 사람들이 밖으로 나왔다. 그런데 아이의 손에 쥐어진 나무 막대기를 잡고 걷는 어른들이 많이 보였다. 앞을 보지 못하는 한센인이었다. 손과 다리가 성한 데가 없다. 상처가 났지만 치료를 받은 흔적은 보이지 않았다. 이들은 신부님을 어떻게 기억하고 있을까. 신부의 사진을 보여 주었다. 모두가 박수를 치면서 "쫄리 신부"라고 외쳤다. 너 나 할 것 없이 신부님에 대한 기억을 쏟아 냈다. 입을 옷을 주었고 아플 때 치료를 해 주었다는 감사의 인사부터, 자신이 대신 죽고 싶었다는 애통함을 쏟아 냈다. 신부님 사진을 나눠 주자 손가락이 없어진 뭉툭한 손으로 신부님의 얼굴을 쓰다듬었고 사진에 여러 차례 입맞춤도 했다. 그것은 세상에서 가장 아름다운 입맞춤이었고 감동 그 자체였다. 신부님의 죽음에 대한 애끓는 심정을 그들은 이렇게 표현했다.

"쫄리 신부님 때문에 너무 슬퍼요. 밤에 잠에서 깨면 울고 싶어져요."
"신부님을 생각하며 울고 기도하다가 다시 잠들어요, 너무 슬퍼요."
"신부님처럼 우리를 도와줄 사람은 아무도 없을 것 같아요."
"밤에도 낮에도 신부님이 생각날 때마다 눈물이 나와요."

그들의 한 마디 한 마디는 절규처럼 들려왔다. 신부님이 떠난 후 모든 것이 10년 전으로 되돌려졌다. 한센인에 대한 사랑을 단적으로 보여 주는 사례가 있다. 한센인들이 신발이 없어 맨발로 다니면서 발에 상처가 깊어지자 신부님은 발을 종이에 대고 그려 신발을 만들어 신겼다. 볼품없는 신발이지만 한센인에게는 세상에 태어난 후 처음으로 사랑을 느껴 보는 순간이었다. 그들은 그런 신부님을 '영원한 아버지' 라고 불렀다. 자신들의 손을 따스하게 감싸 주며 인간적으로 대해 준 처음이자 마지막 사람이었던 것이다. 그러나 신부님은 오히려 조그마한 것에도 감사할 줄 알고 그것을 표현하는 한센인에게 많은 것을 배우고 있다며 부끄러워했다. 신부님의 사랑은 특별한 사랑이 아니라, 사랑이 그의 삶 자체라는 것을 알게 되기까지는 오랜 시간이 걸리지 않았다.

[……]

찾아오는 사람들이 거의 없는 병원 앞마당에 이른 새벽부터 아이들이 보였다. 병원 주위를 빗자루로 깨끗이 청소하거나 밤새 지키려고 숙직을 했던 아이들이 매트리스를 정리했다. 오후가 되자 병원 건물 한쪽에서 악기 연주 소리가 들렸다. 아이들은 삼삼오오 모여 연습했다. 악기실을 둘러봤다. 한국 상표가 찍힌 종이 박스가 눈에 띄었다. 브라스밴드 단복과 구두였다. 신부님이 떠나고 아이들은 스스로 연습을 하고 있었다. 악보는 신부님이 우리나라 산수 공책에 붙여 만든 것을 사용하고 있었다. 선배들은 후배들에게 배운 것을 가르치며 밴드를 꾸려 가고 있었다. 전쟁과 가난 속에 찌든 아이들에게 브라스

이태석 신부의 사진을 들고 거리를 행진하는 아이들과 브라스밴드 단원들.

밴드는 희망의 상징이었다. 아이들은 어른들의 '총'과 '칼'을 녹여서 '악기'를 만들고 싶다고 했다. 우리가 그곳에 도착하자 아이들은 너무나 반가워했다. 그중 신부님을 유난히도 따르던 아이들 몇 명은 우리 곁을 떠나지 않았다. 어떤 아이는 필자가 이태석 신부님인 줄 알았다고도 했다.

신부님은 이곳 아이들의 배고픔을 당장 해결하기보다는 자립할 수 있는 기반을 만들어 주는 방법을 택했다. 그것이 바로 학교를 짓는 일이었다. 아이들은 신부님과 톤즈 강의 모래를 퍼다 나르며 학교를 지었던 기억이 너무나 그립다고 했다. 개학 첫날 복도까지 서서 수업을 하는 모습이 보였다. 두 명이 앉아야 할 책상에는 4명이 끼어 앉았고 빈자리마다 간이 의자를 놓고 수업을 듣고 있었다. 수업 열기는 상상을 넘었다. 아이들은 신부님을 아버지라고 불렀다. 아버지는 아이들이 커 가면서 가장 닮고 싶어 하는 인물이다. 이를 말해 주듯 장래 희망을 묻자 대부분 의사가 되어서 신부님처럼 불쌍한 사람을 돕고 싶다고 했다.

필자는 수단으로 떠나기 전 아이들을 위해 특별한 선물을 준비했다. 신부님의 생전 모습과 장례식 화면이었다. 아이들은 신부님이 톤즈를 떠난 후 모습을 전혀 본 적이 없었다. 브라스밴드 단원들에게 비디오를 볼 수 있는 방으로 모이게 했다. 신부님의 모습이 화면에 보이자 표정들이 순간 멈춰 선 것 같았다. 그토록 보고 싶었던 아버지를 다시 만난 놀라움 그 자체였다. 투병 당시 화면이 보이자 모두가 고개를 떨어트렸다. 장례식이 시작되자 흐느끼는 소리가 들려왔다. 아이들의 얼굴을 들여다보니 눈물로 뒤범벅이 되어 있었다. 그 모습을 지켜본 제작진도 함께 울었다. 어떠한 고통에도 울지 않는다던 아이들. 그러나 신부님의 사랑은 철옹성처럼 단단했던 그 벽을 무너트렸다. 브라스밴드의 맏형인 제임스가 거리 행진을 하겠다며 신부님의 사진을 달라고 했다. 다음 날 아침 톤즈 중심 거리에 사람들이 쏟아져 나왔다. 모두의 시선이 브라스밴드 앞에 어린아이들이 들고 있는 영정 사진으로 모아졌다. 신부님을 2년 만에 만나는 것이다. 그들은 자신들의 생명을 구해 준 고마움을 영정 뒤를 따르는 것으로 대신했다.

신부님이 톤즈에서 보여 준 사랑은 특별한 사랑이 아니라고 생각한다. 자식을 키우는 부모의 지극한 사랑 그것이었다. 자식이 아파하면 같이 아파하고, 그들의 미래를 위해서는 헌신적으로 자신을 던지는 그런 사랑이었다. 신부님은 어린 시절부터 스스로 다짐했던 것을 행동으로 실천했다. 그분은 떠났지만 남긴 유산은 고스란히 남아 있다. 이제 그것을 지키는 것은 우리의 몫이다. 슬퍼하기보다는 그분의 길을 함께하며 사랑을 나누는 것이 신부님이 살아 있는 우리에게 하고 싶은 말씀이 아닐까 생각한다.

[……]

글 • 구수환 KBS PD

에필로그 •••

이 책을 기획하면서 이태석 신부를 여러 차례 만났습니다. 당시 이 신부는 휴가 중 대장암 진단을 받고 투병 중이었습니다. 서울 대림동 수도원에서 만난 그는 눈에 띌 정도로 준 체중에 얼굴은 흑갈색으로 변해 있었고, 이마 깊숙이 초록색 비니를 눌러 쓰고 있었습니다. 한눈에 봐도 암 투병 중이라는 걸 알 수 있었습니다. 하지만 그의 표정만큼은 무척 밝았습니다. 특히 수단에서 찍은 사진 자료를 보여 주며 설명할 때만큼은 이 세상 누구보다 행복해 보였습니다. 아이들을 위해 폐허 위에 학교를 짓던 일, 35인조 브라스밴드를 만들어 대통령 환영 행사에 참석했던 일, 설사병이 돌아 병원 마당 가득 환자가 몰리자 학생들을 교육시켜 부족한 일손을 채웠던 일……. 끝없이 펼쳐지는 그의 이야기에는 톤즈의 아이들을 향한 애틋한 그리움이 한가득 묻어 있었습니다. 사제라는 신분을 넘어서 그곳 가난한 이들의 따뜻한 친구가 되어 열정적으로 살아온 그의 모습이 그대로 전해 왔습니다.

대화 도중 그에게 책 안에 암 투병 중이라는 이야기를 넣자고 했습니다. 순간 굳어진 그의 표정에 아차 싶었지만 이미 엎질러진 물이었습니다. 이 신부는 무엇보다 어머니 때문에 그럴 수 없다고 했습니다. 이 신부에게는 늘 못다 한 숙제처럼 마음에 남아 있는 한 가지가 있었습니다. 홀로 삯바느질을 하며 10남매를 키우신 어머니였습니다. 어머니는 의사의 길을 버리고 사제의 길을 가겠다고 했을 때에도, 사제가 되어 먼 이국 땅 아프리카로 떠나겠다고 했을 때에도 말없이 눈물로 허락하셨던 분이었습니다. 그런 어머니가 아들의 암 투병 사실을 알게 된다면……. 이 신부에겐 상상조차 하고 싶지 않은 일이었습니다. 어쩌면 이태석 신부는 어머니에게만큼은 자신의 병이 다 완쾌되고 나서 이런 이야기를 추억처럼 전하고 싶었을지도 모르겠습니다.

2009년 5월 말, 『친구가 되어 주실래요?』가 출간되면서 이 신부와 전화 연락을 자주 하게 되었습니다. 그는 투병 기간이 길어지면서 톤즈에서 진행하다 멈춘 일들을 염려하였습니다. 그러면서도 자신의 병을 '고통의 특은'이라 생각했습니다. 하느님께서 특별히 더 사랑하셔서 주신 특별한 은총이라는 말입니다. 그래서 세상 병든 이들, 가난한 이들을 더 깊이 이해하고 사랑할 수 있고, 우리가 누리는 것에 대해 감사하게 된다고 하면서…….

어서 빨리 톤즈로 돌아가고 싶은 그의 간절한 바람과는 달리 이태석 신부는 힘든 투병 생활 끝에 2010년 1월 14일 하느님 품에 안겼습니다. 1월 16일 살레시오회 관구관 7층 성당에서 거행된 이태석 신부의 장례 미사에는 전국 각지에서 1,500여 명의 조문객들이 참석해 그의 죽음을 애도했습니다. 그날 이 신부의 유해가 안장된 곳은 전남 담양 천주교 묘역 내 살레시오회 성직자 묘지였습니다.

KBS스페셜 제작팀이 이태석 신부의 활동과 살아온 삶을 다큐멘터리로 촬영하기 위해 수단으로 떠났다는 소식을 들은 것은 이 신부의 선종 직후 얼마 되지 않아서였습니다. 이 휴먼 다큐 '울지마 톤즈'는 2010년 4월 11일에 방영되었고 그에 대한 시청자들의 반응은 뜨거웠습니다. 방영 이후 이태석 신부 후원 카페 '수단어린이장학회'(cafe.daum.net/WithLeeTaeSuk)에는 이천 명이 넘는 이들이 이 신부의 뜻에 함께하고자 새로이 가입하였습니다. 수단어린이장학회는 이태석 신부의 수단 선교 활동을 구체적으로 지원해 왔고 이 신부 선종 이후에도 그 정신을 이어 계속해서 지원 활동을 활발히 벌이고 있는 단체입니다. 현재 그들은 두 명의 톤즈 청년이 한국에서 공부할 수 있도록 돕고 있습니다. 또한 그들은 톤즈에 의료 봉사자를 파견할 수 있도록 주선하고 지원하고 있습니다.

2010년 9월 9일 『울지마 톤즈』가 극장판으로 만들어져 개봉되면서 이태석 신부의 삶이 세상 더 많은 이에게 알려지게 되었습니다. 영상 속에서나마 보고 싶었던 그의 생전 모습을 만날 수 있었습니다. 아버지 같았던 이태석 신부를 애타게 그리워하며 가슴 깊이 오열하는 톤즈 아이들 앞에서 어느 누가 함께 눈물을 흘리지 않을 수 있었겠습니까. 그 아이들의 눈물은 우리가 이 지상에 남은 자로서 어떻게 살아야 하는지, 무엇을 위해 살아야 하는지에 대해 말없이 가르쳐 주었습니다.

이 세상 가장 가난한 곳에서 모든 것을 바치며 불꽃처럼 살았던 이태석 신부. 그가 이 세상에 남긴 유일한 책 『친구가 되어 주실래요?』는 어쩌면 그가 평생 품어 왔고 이 세상 모든 이에게 들려주고 싶었던 소망이자 남기고 싶은 유언이었는지 모릅니다. 그가 그렇게 살았던 것처럼 이 세상 모든 이에게 가난하고 소외된 이들의 진정한 친구가 되어 달라는 그의 간절한 부탁 말입니다. 사랑만이 희망임을 삶으로 보여 주고 떠난 그의 아름다운 영혼이 이 책을 통해 우리 모두에게 고스란히 전해졌으면 합니다.

글 • 김용기 생활성서사 편집 국장

친구가 되어 주실래요?

감동 휴먼 다큐 '울지마 톤즈'의 주인공
이태석 신부의 아프리카 이야기

교회 인가 | 2009년 3월 30일
1판 1쇄 | 2009년 5월 20일
1판 11쇄 | 2010년 9월 7일
2판 1쇄 | 2010년 10월 25일
2판 13쇄 | 2011년 8월 15일

글쓴이 | 이태석
펴낸이 | 김연옥
펴낸곳 | 생활성서사
주소 | 서울시 강북구 번2동 521-3
등록 | 제78호(1983. 4. 13.)
전화 | (02)945-5986~7 팩스 | (02)945-5988
지로 | 3005002
온라인 | 신한은행 980-03-000121(생활성서사)

A399 | 값 13,000원
ISBN 978-89-8481-296-3 03230

통신 판매 | 02)945-5987
인터넷 서점 | www.biblelife.co.kr

* 이 도서의 국립중앙도서관 출판시도서목록(CIP)은
e-CIP홈페이지(http://www.nl.go.kr/ecip)에서 이용하실 수 있습니다.(CIP제어번호 : CIP2010003589)